D1097491

CHER ANTOINE
OU
L'AMOUR RATÉ

JEAN ANOUILH

CHER ANTOINE

OU

L'AMOUR RATÉ

LA TABLE RONDE
40, rue du Bac
PARIS-VIIe

Jaquette de Jean-Denis Malclès

CHER ANTOINE OU L'AMOUR RATÉ a été présentée pour la première fois à Paris le 1er octobre 1969 à la Comédie des Champs-Élysées, dans une mise en scène de l'auteur et de ROLAND PIÉTRI, dans des décors et des costumes de JEAN-DENIS MALCLÈS, avec, par ordre d'entrée en scène : HUBERT DESCHAMPS, FRANCINE BERGER, NELLY BENEDETTI, UTA TAEGER, FRANÇOISE ROSAY, CLAUDE NICOT, PIERRE BERTIN, ROLAND PIÉTRI, MADELEINE OZERAY, JOSEPH FALCUCCI, ÉDITH SCOB, MADELEINE SUFFEL, JACQUES FRANÇOIS.

PERSONNAGES

ANTOINE.
CRAVATAR.
MARCELLIN.
PIEDELIEVRE.
ALEXANDRE.
ESTELLE.
CARLOTTA.
VALÉRIE.
ANÉMONE.
GABRIELLE.
MARIA.
FRIDA.
LE NOTAIRE ALLEMAND.
LES COMÉDIENS, joués par les différents personnages.
ALEXIS, personnage muet, joué par Alexandre.
UN PETIT VALET ALLEMAND, personnage muet.
LE CONSUL DE FRANCE, personnage invisible.

La scène se passe en Bavière, en 1913.

PREMIER ACTE

Le hall d'une grande maison ancienne d'un style baroque étranger. Entrent en costume de voyage une jeune femme en deuil, un homme en noir aussi. Ils semblent visiter la maison.

MARCELLIN

C'est un petit bijou de décoration baroque, dans un bâtiment du seizième. C'est admirable!

ESTELLE, *détachée.*

Oui, Antoine a toujours eu des maisons admirables. C'était une maladie chez lui. Quand un pays lui plaisait, il fallait qu'il y achète une maison. En vieillissant, son cas s'était aggravé; il avait fini par croire que l'achat d'une nouvelle maison était susceptible de résoudre toutes les difficultés. Notre séparation — ou enfin, son éloignement, puisqu'il ne m'a jamais demandé le divorce — a été jalonnée par je ne sais combien d'acquisitions immobilières. Il s'était figuré, parce que nous y avions passé le temps le plus heureux de notre voyage de noces, que Florence serait le lieu de notre réconciliation. Un autre y aurait réservé une suite au Grand Hôtel, il y a acheté une villa sur les hauteurs de Fiesole où nous ne sommes restés qu'un jour : le temps d'une dispute, d'ailleurs définitive. Plus tard, lorsque nous avons décidé, d'un commun accord, de mettre Philippin aux Roches, l'idée de le voir le dimanche, dans un restaurant, le rendant malade, il a acquis une maison à Verneuil. Les murs, c'était sa façon de croire à la famille. Il ne se demandait jamais ce qu'on allait y mettre dedans. C'était, je dois le dire, un très joli manoir normand. Le goût, chez Antoine, était la seule chose en quoi l'on pouvait lui faire entièrement confiance. Nous y avons déjeuné quatre dimanches — en famille, c'est-à-dire sans nous dire un mot — entourés de domestiques bienveillants qui doivent nous y attendre encore. Autre détail, il engageait partout des gens dont il avait le secret de se faire adorer. *(Elle hausse les épaules, aigre.)* Si on peut appeler cela un secret : les servantes jeunes, il les caressait; les vieilles, il les traitait comme des duchesses et les embrassait sur les joues.

MARCELLIN

Habitude de théâtre! Antoine embrassait tout le monde sur les deux joues.

ESTELLE, *poursuivant sans relever.*

Quand j'ai fini par retirer Philippin des Roches pour le garder près de moi à Paris,

Antoine habitait déjà ici, en Bavière, avec cette fille, pour laquelle, bien entendu, il n'avait pu faire moins que d'acheter un burg. Le problème de sa visite mensuelle aux enfants se posant (il ne voulait pas revenir avenue Bugeaud, où je l'aurais pourtant accueilli), vous pensez peut-être qu'il aurait pris une chambre au Ritz? C'était mal le connaître. Il s'est acheté et meublé pour ce nouvel adultère familial une garçonnière rue de Prony, dont la concierge, rendue attentive par les mœurs du quartier, a fait je ne sais combien de rapports à la police, disant que le nouveau propriétaire y débauchait des mineurs — Marie-Christine et Philippin venaient en effet à tour de rôle y passer la nuit. Granchatre, le préfet, très ennuyé, l'a même convoqué en lui recommandant un peu plus de discrétion dans ses vices!

MARCELLIN

C'est follement drôle!

ESTELLE

N'est-ce pas? Je me suis astreinte avec Antoine à trouver tout, toujours, follement drôle. J'ai panaché pendant quinze ans les crises de fou rire et les sanglots.

MARCELLIN

Pauvre Estelle!

ESTELLE *répète drôlement.*

Pauvre Estelle. C'est ce que tout le monde disait à Paris. Avant je m'appelais seulement Estelle; j'ai eu droit à un second prénom. Pauvre-Estelle avec un trait d'union. Pauvre! C'est un charmant prénom. Et qui me va si bien. Vous ne trouvez pas?

MARCELLIN *se rapproche.*

Vous vous calomniez. Je connais beaucoup d'hommes — dont moi d'ailleurs — qui...

ESTELLE *le coupe.*

Épargnez-moi ce vieux refrain. J'avais décidé que, dans notre couple bancal, l'un des deux au moins serait fidèle — pour faire une moyenne.

MARCELLIN

Fidèle à qui? A quoi?

ESTELLE, *nette, fermée.*

A moi, mettons. *(Elle regarde autour d'elle et s'exclame.)* Il faut avouer qu'il l'avait assez bien logée, la petite dernière!

MARCELLIN

Vous n'étiez jamais venue ici?

ESTELLE

Jamais, naturellement. Le système d'Antoine et de ses différents immeubles reposait sur un principe de cloisonnement absolu. Quand, après quelques aventures amoureuses et malheureuses, qui l'ont rendu propriétaire d'un petit hôtel à Versailles, d'un château dans le Périgord, d'une villa à Cannes et, ce qui était plus original, d'un bateau-ponton du côté de Sarcelles, il s'est enfin fixé sur cette jeune fille (de vingt-cinq ans plus jeune que lui), il lui a soudain fallu l'altitude et la Bavière. Ce dernier amour ne respirait bien qu'à dix-huit cents mètres. On n'a jamais su exactement pourquoi... Lorsque cette jeune personne l'a quitté, l'année dernière, son ressort vital devait être un peu détendu : il n'a jugé bon d'acquérir aucun autre lieu, pour ce qui lui restait de temps de solitude. Le notaire m'a cependant dit qu'il s'était fait construire encore quelque chose : une très belle chapelle baroque, insolite dans ce cimetière de paysans.

MARCELLIN

Pauvre Estelle!

ESTELLE, *sèche et légère.*

Pauvre Estelle. J'ai vidé mes larmes quand j'ai appris sa pauvre mort. Mais j'avais fait tellement d'avances sur mon capital lacrymonial... J'ai les yeux secs maintenant. Pour la vie.

MARCELLIN *murmure.*

En nettoyant son fusil de chasse...

ESTELLE, *lointaine.*

Tout seul, à cinq heures le matin, dans le soleil levant. Il connaissait bien les armes; il les collectionnait depuis l'adolescence, il en avait encore plus que de maisons et il avait chassé toute sa vie...

MARCELLIN, *grave, autant que son optimisme incurable le lui permet.*

Estelle, j'étais son médecin et son ami — je vous l'ai déjà dit, et je le répète — je n'ai, moi, jamais remis en question la thèse de l'accident. La seule chose qui m'ait peiné — enfin, je veux dire, c'est sa disparition bien sûr qui m'a peiné — la seule chose qui m'a choqué ce sont les ordres formels qu'il avait laissés aux domestiques et au notaire : n'avertir personne — l'enterrer d'abord, télégraphier à Paris ensuite.

ESTELLE, *d'une voix neutre.*

Oui. Il avait choisi le petit corbillard des pauvres, paraît-il, traîné à bras d'homme, comme ils le font ici. Le notaire lui-même et les domestiques avaient ordre de ne pas le suivre. Il est parti seul, pour sa belle chapelle baroque. Sa dernière maison. *(Elle ajoute, nette.)* Celle-là on la gardera — mais il va falloir vendre toutes les autres. Quand et dans quelles conditions? Marie-Christine et Philippin sont encore mineurs.

MARCELLIN, *ému, après un silence montrant un meuble.*

Sa table. Il devait écrire là.

ESTELLE, *sèche.*

Il n'écrivait plus depuis qu'il m'avait quittée.

MARCELLIN, *après un temps encore.*

Vous croyez qu'il a aimé cette jeune fille?

ESTELLE, *nette.*

Je me suis toujours interdit de me le demander. J'ai le goût des simplifications.

Entre Valérie, une jeune femme de l'âge d'Estelle, en une sorte de demi-deuil, elle aussi, mais très discret, suivie de sa fille Anémone, très jeune.

VALÉRIE

C'est une maison extraordinaire! Et elle lui ressemble. Je me demande comment il pouvait, sous tant de climats différents, trouver toujours quelque chose qui lui ressemblât.

ESTELLE, *sèche.*

Je suis persuadée qu'aimant une Lapone, il eût réussi à faire quelque chose à lui d'un igloo. Mais il y a une faille chez moi, je n'ai pas visité tous ses antres. Vous avez un avantage sur moi, Valérie : vous êtes venue chez moi. Antoine recevait dans les maisons de sa femme. Le petit rendez-vous de chasse de Sologne qu'il avait acheté de votre temps, lui ressemblait aussi ?

VALÉRIE, *nette.*

Ma chère Estelle, rappelez-vous que nous sommes convenues, lors de notre réconciliation, que nous ne reparlerions jamais plus de cela.

ESTELLE

C'est vrai. Je vous demande pardon, Valérie. Mais vous comprendrez que la visite de ce dernier refuge ait pu me faire regretter de ne pas avoir connu le vôtre. *(Elle enchaîne gracieuse.)* Ce demi-deuil discret vous va à ravir. Vous avez décidément un tact infini, Valérie ! D'autres seraient venues en fausse veuve (en somme, vos amours ont été éternelles : deux ans !). D'autres au contraire, en rose, pour n'avoir l'air de rien. Vous avez toujours su vous conduire merveilleusement dans toutes les circonstances. Même Anémone, par un jeu raffiné de parentés subtiles, a su trouver un air de deuil — rien de plus — dans les accessoires noirs de son petit ensemble gris. Je reconnais les conseils précieux de sa maman.

ANÉMONE, *d'une agressivité un peu insolite.*

Ma chère Estelle, j'aimais beaucoup Antoine. J'ai eu beaucoup de peine et je n'ai eu besoin des conseils de personne pour ne pas me mettre en bleu canard. J'ajouterai que vos petites escarmouches d'arrière-garde, à maman et à vous, m'exaspèrent. Si le notaire ne m'avait pas spécifié le désir absolu d'Antoine de ma présence à l'ouverture de son testament, je ne serais pas venue. En tout cas, pas en caravane.

ESTELLE, *aigre.*

Ma chère Valérie — cela je peux vous le dire, c'est en dehors de nos conventions — je trouve votre fille terriblement mal élevée!

VALÉRIE, *suave.*

Nos enfants sont, tous, très mal élevés, Estelle. Mais il faut dire que l'élevage est une science à laquelle nous n'avons pas consacré beaucoup de soins.

MARCELLIN, *prudent.*

De toute façon nous ne sommes pas venus ici pour nous disputer, mais pour répondre au vœu sacré d'Antoine qui a voulu que nous soyons tous présents dans sa dernière maison à l'ouverture de son testament. Que peuvent faire les autres?

ESTELLE

Il n'y a dans ce pays qu'une route, où l'on se croise d'ailleurs difficilement, et au bourg qu'une seule voiture automobile munie de chaînes qui puisse monter confortablement jusqu'ici par temps de neige. Le loueur assure un va-et-vient. En trois voyages il paraît que nous serons au complet.

MARCELLIN

Dans le brouhaha, ce matin au buffet de la gare de Munich, je n'ai pas reconnu tout le monde. J'ai vu Cravatar. Carlotta sera là?

ESTELLE, *aigre.*

Bien entendu. La première femme du maître!

MARCELLIN

Pas d'acrimonie, Estelle; c'est de l'histoire ancienne.

ESTELLE

C'est même de l'archéologie! Carlotta est maintenant un monument historique.

MARCELLIN, *pénétré.*

Croyez-le si vous le voulez, elle est encore admirable! Je l'ai entendue dans « Phèdre », il y a quinze jours, au grand gala du Français pour la visite du roi de Bulgarie, elle a fait un triomphe.

ESTELLE

Carlotta « fait » comme on dit dans le triomphe, et cela depuis la fin du siècle dernier. Les étudiants après chacune des rares représentations qu'elle consent à nous donner, dételLent toujours sa voiture. L'ennui, c'est qu'ils vieillissent eux aussi. Elle devrait dire à son agent de publicité de les changer; ils n'ont plus l'air tout à fait d'étudiants.

MARCELLIN, *riant.*

Vous êtes méchante, Estelle!

ESTELLE

Que resterait-il à la « Pauvre-Estelle » si elle n'avait pas droit à un peu de méchanceté? Il faut bien qu'une femme abandonnée se trouve une petite occupation. Il y en a qui se consacrent aux bonnes œuvres ou à la tapisserie, moi je me suis mise à la méchanceté.

VALÉRIE

Ma petite Estelle, je sais, heureusement, que vous jouez un jeu en ce moment. Vous avez tout simplement beaucoup de peine, comme nous tous. Plus que nous tous sans doute, car c'est à vous qu'Antoine avait donné son nom.

ESTELLE, *d'un autre ton, bizarre, plus sourd.*

Oui, j'ai de la peine. Mais j'en ai depuis si longtemps et pour tant de choses qu'il m'arrive de mélanger un peu. Je ne sais plus trop à qui j'en veux et de quoi. A tout le monde, sans doute — et de tout.

On entend dans la cour le bruit d'une voiture automobile qui s'arrête avec quelques explosions inquiétantes.

MARCELLIN

Ah! Voici la seconde fournée intacte! Je vous avouerai qu'en montant j'ai tremblé tout le long du chemin. D'abord il y avait un peu trop de précipices pour mon goût, et puis, j'avais l'impression que ce véhicule automobile exploserait avant que nous ne soyons en haut. Vous y croyez, vous, à la traction mécanique? J'ai aperçu dans l'écurie un traîneau ravissant; avec des têtes de chimères dorées à la proue. Voilà ce que j'aurais aimé...

ESTELLE

Le notaire m'a dit que c'était un des traîneaux de Louis II de Bavière, qu'Antoine avait réussi à acquérir à prix d'or. Mais il n'y a plus de chevaux pour atteler. Il avait donné l'ordre de les vendre le lendemain même de sa mort. Il aimait beaucoup ses chevaux. C'était son côté satrape. S'il avait pu également faire immoler ses veuves, croyez qu'il l'aurait fait.

Entrent Carlotta, enveloppée de voiles sombres et surmontée d'aigrettes comme une reine de Shakespeare; Cravatar, un homme d'aspect encore jeune, un peu sec; Piedelièvre, un universitaire pontifiant; plus tard apparaîtra le notaire, un gros Allemand en redingote, impénétrable. Tous les hommes, malgré leurs pelisses, leurs écharpes, leurs gants fourrés, ont d'insolites chapeaux hauts de forme.

CARLOTTA

Route admirable! Précipices merveilleux! Sensation délicieuse de danger! Site et maison extraordinaires! Tout est réussi! *(Elle embrasse théâtralement Valérie.)* Vous embrasse encore, cara mia!

ESTELLE, *à mi-voix à Marcellin.*

Elle a toujours l'air d'envoyer un télégramme.

CARLOTTA, *feignant de s'apercevoir de sa méprise.*

Ah! Que je suis étourdie! Toutes les deux en noir, toutes les deux si tristes, je croyais que c'était Estelle! Pardon, ma chère... *(Elle va à Estelle.)* C'est vous que je voulais embrasser, cara mia! *(Elle la serre vigoureusement sur sa vaste poitrine.)* Sans rancune et de tout mon cœur! J'ai un immense, immense chagrin. Je l'avais connu si jeune. Il avait l'air d'un petit télégraphiste amoureux dans les coulisses du Français.

ESTELLE, *tout de suite agressive.*

Pourquoi d'un télégraphiste?

CARLOTTA, *éclatant de rire soudain.*

Parce qu'il était toujours habillé de bleu, chère! Et qu'il m'envoyait tous les matins un télégramme! A chaque aube, à midi, avec mon chocolat, une rose et un télégramme si long que les postes étaient obligées de mettre une petite rallonge. C'est touchant, non? *(Elle éclate de son rire célèbre et s'arrête soudain, tragique.)* Abominable. Tout cela est abominable. Un immense, immense chagrin. Asseyons-nous. *(Elle s'assoit dans un grand fauteuil doré.)* Un beau fauteuil de théâtre! Il savait toujours dénicher le meuble que personne n'a vu. La grandeur, la raideur insolite du Grand Siècle avec un excès de dorure un peu allemand. *(Elle se lève soudain.)* On y est très mal. Je vais me mettre sur le canapé. Qui attendons-nous?

Tout le monde s'est retourné vers le notaire qui est entré depuis un moment, raide.

LE NOTAIRE. *Il n'a pas d'accent, sa phrase a seulement des temps d'arrêt bizarres.*

J'ai envoyé la voiture encore une fois à la gare. *(Il a tiré un papier de sa poche.)* Je dois, pour procéder à l'ouverture du testament, m'assurer encore de la présence de Madame Duchemin et de son fils Alexandre Duchemin et de Madame Staufenbach née Werner.

ESTELLE *s'écrie.*

Maria Werner?

LE NOTAIRE, *fermé.*

Exactement, madame. Frau Maria Staufenbach née Werner. C'est le dernier nom de ma liste.

ESTELLE

Et cette fille a accepté de venir?

LE NOTAIRE

J'ai eu beaucoup de mal à retrouver son adresse; mais j'ai pu la joindre enfin par un confrère de Wurzburg où elle réside maintenant. Je lui ai fait part du désir formel de Monsieur de Saint-Flour et elle a accepté.

ESTELLE *s'est dressée.*

Je ne saurais être ici en même temps que cette personne. Il faudra choisir entre sa présence et la mienne, monsieur!

LE NOTAIRE

C'est, chère madame, absolument impossible. Mes instructions sont formelles et je ne saurais ouvrir le testament que tous les légataires présents ou représentés par un officier ministériel muni d'une procuration.

ESTELLE

Mais enfin, monsieur, vous savez qui était cette Maria Werner?

CARLOTTA *a été à elle.*

Estelle! Cara mia! Malgré votre immense, immense chagrin, il ne faut pas vous enfermer dans des idées de petite bourgeoise. Antoine était un homme exceptionnel à qui nous devons tous une attitude exceptionnelle. Valérie est bien là!

ESTELLE, *pincée.*

Valérie est mon amie.

CARLOTTA

Je suis bien là! Moi aussi, j'ai dévoré l'affront et la douleur quand Antoine vous a demandée en mariage. Et nous étions pourtant un couple indissoluble!

ESTELLE

Vous l'aviez trompé avec tout Paris, pendant dix ans — et lui aussi!

CARLOTTA, *péremptoire.*

C'est pourquoi nous étions un couple indissoluble. Comme elle est jolie soudain, quand elle se met en colère... C'est encore une toute petite fille! Vous devriez vous mettre en colère plus souvent, cara mia, cela vous donne du caractère... Quand Antoine s'est toqué de vous, j'ai très bien compris, moi, qu'il puisse avoir envie d'une jeune fille de bonne famille, de l'eau lisse du mariage, de cris d'enfants autour de lui. Il s'en faisait toute une fête, parce qu'il n'en avait jamais vu. C'est tellement humain! J'ai surmonté ma douleur et j'ai donné. J'étais pourtant brisée. Le soir du mariage, j'étais affichée dans « Andromaque » : j'ai seulement demandé une canne au régisseur pour me soutenir, et j'ai joué! J'ai sangloté du premier au dernier vers et ce calvaire a été un triomphe! Il faut dire que tout Paris savait, et qu'il était venu voir mourir le taureau. Le lendemain, j'étais guérie, guérie sous un monceau de fleurs. Oui, ma chère, j'en ai eu plus que vous, ce jour-là! Donnez. Donnez. Laissez venir la jeune personne puisqu'il a voulu, expressément, qu'elle fût là. Je suis d'ailleurs très curieuse de savoir qui cela peut être, on m'a dit que c'était une guenon.

VALÉRIE *a un sourire.*

Cela m'étonnerait bien d'Antoine. A défaut de tout autre sentiment profond, il avait la superstition de la beauté.

CARLOTTA, *qui est retombée sur son canapé, confie à son voisin, Cravatar.*

Je suis vannée, mon cher. Je suis comme Sarah, je n'ai jamais pu supporter l'altitude.

C'est d'ailleurs tout ce que nous avons de commun, ce vieux monstre et moi!

MARCELLIN *demande soudain après un temps.*

Mais qui peut être cette Madame Duchemin qui est aussi convoquée? Je n'ai jamais entendu parler d'une Madame Duchemin. Ce nom vous dit quelque chose, Estelle?

ESTELLE, *aigre.*

Mes agendas étaient trop petits pour noter le nom de toutes les maîtresses d'Antoine. Il m'aurait fallu le bottin!

MARCELLIN

Pour qu'Antoine l'ait fait convoquer aujourd'hui, il faut pourtant qu'elle ait joué un rôle important dans sa vie... Cela vous dit quelque chose, Valérie?

VALÉRIE

Non.

MARCELLIN, *au notaire.*

Maître, vous avez vu cette personne?

LE NOTAIRE

J'ai seulement correspondu avec Madame. Et quoique tenu, comme vous dites en France, où vous aimez les euphémismes, au secret professionnel, je peux pourtant vous dire — ayant demandé, pour la bonne règle, à chacun de vous son extrait de naissance — que c'est une personne relativement âgée.

MARCELLIN

Nous nageons en plein mystère! Quel âge, maître, que nous la situions?

LE NOTAIRE

Notre secret professionnel allemand n'est pas tout à fait aussi extensible qu'un secret professionnel français. Une personne relativement âgée. C'est tout ce que je puis vous dire.

MARCELLIN

Une amie de jeunesse... Piedelièvre, le labadens. Tu as une idée?

PIEDELIEVRE *demande après un temps.*

Le prénom de cette personne, ne serait-il pas Gabrielle?

LE NOTAIRE, *compulsant sa liste.*

Gabrielle. C'est exact. Cela je crois pouvoir le dire.

Tout le monde se retourne vers Piedelièvre qui est comme frappé de stupeur.

MARCELLIN

Hé bien, Piedelièvre? C'est du temps de la Faculté des lettres, cette Madame Duchemin?

PIEDELIEVRE, *qui a un sourire lointain comme attendri.*

L'amitié aussi a son secret professionnel. Tout ce que je peux vous dire, c'est que nous avons connu, en effet, tous les deux, une jeune fille au Quartier latin, qui s'appelait Gabrielle Blancmesnil. *(Il s'est retourné malgré lui vers un grand miroir ancien, proche de lui, et se contemple abattu. Malgré lui sa main monte jusqu'à sa calvitie. Il est revenu tomber sur le canapé à côté de Carlotta, murmurant.)* Gabrielle Blancmesnil! Mon Dieu que c'est loin!

CARLOTTA

Vous avez l'air soudain abattu, cher ami?

PIEDELIEVRE

Oui. C'est l'entrée inattendue du fantôme de cette jeune fille. Le temps passe, chère amie, le temps court.

CARLOTTA, *sombre, raide comme une idole.*

Non. Le temps n'existe pas.

PIEDELIEVRE

Peut-être. Mais les miroirs, eux, existent.

CARLOTTA, *durement, mystérieuse.*

Il faut ignorer les miroirs. Ce sont des pièges à faibles. Moi je ne me regarde jamais que dans un de mes anciens portraits. J'en ai d'admirables par les plus grands peintres de notre temps. Cela me suffit.

ESTELLE, *suave.*

C'est peut-être pour cela que vous vous mettez toujours un peu trop de rouge, Carlotta.

CARLOTTA, *dure.*

Ma chère, c'est exact, je me peins. Mon modèle est Carlotta. Et je peins, chaque matin, le portrait de Carlotta telle que ses admirateurs ont l'habitude de se l'imaginer. Il ne saurait être question pour moi d'avoir de la discrétion, et de me faire une tête de petite bourgeoise comme il faut — comme vous. Personne ne me reconnaîtrait.

MARCELLIN *prévient d'un geste la réponse d'Estelle.*

N'explosons pas! N'explosons pas! Nous sommes tous ici réunis dans le souvenir ému d'Antoine. *(Un silence.)*

VALÉRIE, *avec un sourire.*

On dirait que nous jouons une de ses pièces! Il adorait ces situations de théâtre.

CRAVATAR, *sec.*

Et il en rajoutait. Ce n'est pas ce qu'il y avait de meilleur dans son œuvre.

CARLOTTA, *péremptoire.*

Une œuvre immense! Impérissable! Un grand, très grand théâtre!

CRAVATAR, *réservé, un peu faux jeton.*

Un grand théâtre, d'une certaine époque. Depuis l'évolution des esprits, la jeunesse... Il y a un muscle, un sang nouveau, voyez Bataille, le petit Bernstein! Tout bouge!

CARLOTTA *tranche, raide.*

Je ne sais pas ce que c'est que la jeunesse! C'est une maladie très courte. J'ai mon public. Lui aussi a eu son public, jusqu'au bout. Un immense public. Et un immense théâtre. Inclinons-nous.

CRAVATAR, *pincé.*

Si vous voulez. *(Il se penche vers Piedelièvre.)* Vous croyez qu'il y croyait, lui?

PIEDELIEVRE

A quoi?

CRAVATAR

A son théâtre.

PIEDELIEVRE, *après une courte hésitation.*

Il y aurait beaucoup à dire là-dessus. C'était un homme très cultivé, très fin. Vous avez lu ses premiers poèmes?

CRAVATAR

Autrefois.

PIEDELIEVRE, *sans méchanceté aucune.*

Relisez-les. C'est ce qu'il avait fait de mieux.

CRAVATAR

Mais son succès, alors...

PIEDELIEVRE, *prudent.*

C'est une pente savonneuse. Et puis, avec toutes ses maisons, il avait terriblement besoin de droits d'auteur. C'est cher, mon cher, le désordre.

Il y a un silence, on entend un chien hurler dehors.

MARCELLIN *s'est rapproché du notaire, inquiet.*

Qu'est-ce que c'est?

LE NOTAIRE

Son chien. Il hurle jour et nuit depuis la mort de son maître.

Marcellin, qui a été à l'une des hautes fenêtres, murmure.

MARCELLIN

La neige redouble.

LE NOTAIRE

Oui. Je crois que nous aurons très mauvais temps. Je le regrette pour la visite au cimetière. Monsieur de Saint-Flour avait souhaité que nous nous réunissions dans sa chapelle, après la lecture du testament. C'est un vœu, bien entendu, sacré et je pense que c'est le désir de chacun, mais le petit cimetière est à flanc de montagne et on ne peut y accéder qu'à pied par un sentier aujourd'hui très enneigé.

CARLOTTA *s'exclame.*

Ça va être gai!

ESTELLE, *aigre.*

Je ne pense pas, Carlotta, que, même par beau temps, cela eût pu être très gai!

CARLOTTA, *sombre.*

Ne jouez pas à cache-cache, Estelle! Vous savez très bien que c'est une expression. La peine est une chose et le rhumatisme en est une autre. Quand vous aurez mon âge — et vous l'aurez! — vous saurez qu'il est parfois héroïque de se tenir debout.

MARCELLIN, *qui a été à elle, lui baise la main, effrayé par sa sortie.*

Grande amie... Grande amie... Du calme. Nous sommes tous ici réunis dans le souvenir d'Antoine.

LE NOTAIRE, *qui regarde la neige,*
le dos à la fenêtre,
murmure après un silence.

Notre rudesse allemande. Monsieur de Saint-Flour, qui était un homme d'Occident, avait su aimer notre rudesse allemande. Il adorait le mauvais temps. Il lui arrivait certains hivers d'être bloqué ici plusieurs semaines sans se plaindre.

ESTELLE *a un petit rire sec.*

Lui qui se plaignait toujours de tout! Vous m'étonnez. C'était un homme qui n'appréciait que la facilité et le confort. Ou alors, on nous l'avait changé.

MARCELLIN, *un peu inquiet,*
après un petit temps, au notaire.

On est quelquefois bloqués ici, maître?

LE NOTAIRE

En cette saison, rarement. Quoique l'hiver soit très en avance cette année. Mais la situation de ce château, qui est par ailleurs exceptionnelle, a un inconvénient grave à certaines époques. La route qui le relie au bourg traverse un couloir d'avalanches.

MARCELLIN, *faussement dégagé.*

Et cela peut tomber, ces choses-là?

LE NOTAIRE *a un sourire.*

Cela tombe parfois. Le problème est d'être passé avant. Ici on ne risque plus rien, la situation est dominante.

MARCELLIN

Et... si cela tombe, pendant qu'on est ici, qu'est-ce qu'on fait?

LE NOTAIRE

On attend qu'on déblaie la route, cher monsieur.

MARCELLIN

Et c'est long?

LE NOTAIRE

Nous disposons d'assez pauvres moyens : des bras, des pelles. Tous les hommes du village s'y mettent : deux jours, trois jours, cela dépend de l'importance du glissement. C'est la vie de montagne!

MARCELLIN

J'entends. Mais dans un cas d'urgence, des Parisiens en visite comme nous... Je sais qu'il n'y a rien à craindre en cette saison, mais enfin, j'ai une séance très importante à l'Académie de Médecine, mercredi...

LE NOTAIRE *a un petit sourire.*

Dans ce coin reculé de Bavière on n'a pas

prévu de Parisiens en visite. Je crains qu'on ne les dégage pas plus vite que les autres.

Il y a un petit temps encore.

VALÉRIE, *doucement, souriante.*

Je vous ferai remarquer que nous jouons de plus en plus une pièce d'Antoine. Des gens venus de tous les azimuts sous un prétexte fortuit, qui n'ont aucune envie de se fréquenter et qui sont bloqués ensemble, par une cause extérieure, quelque part. C'est un très vieux truc de théâtre qu'il adorait et dont il s'est beaucoup servi.

CRAVATAR, *sec.*

Au moins trois fois. « Le Château au Danemark », « Les Femmes de Barbe-Bleue », « Le Piège ». *(Il ajoute.)* Ce ne sont d'ailleurs pas ses meilleures pièces!

PIEDELIEVRE, *qui s'est rapproché de lui.*

Mais pourquoi aimait-il tant les trucs? Faiblesse? Il avait un excellent dialogue, net, sans bavures; la vérité des sentiments ne lui était pas étrangère, loin de là. Son « Andromaque » est au programme de plusieurs universités d'Allemagne et d'outre-Atlantique.

CRAVATAR, *réticent.*

Son « Andromaque », certes. Encore que...

PIEDELIEVRE

Nourri de culture classique il n'appréciait rien tant, je le sais, que la nudité, l'unité, le style. Alors, pourquoi ce fatras dramatique constant?

VALÉRIE, *doucement.*

J'ai peu étudié son œuvre, je crois même que je n'ai pas vu toutes ses pièces. Il en a fait tellement! Mais il m'a dit souvent que cela l'amusait. Et qu'il avait bien le droit de s'amuser lui le premier. C'était son côté gentilhomme, il détestait le sérieux et l'effort — en tout.

PIEDELIEVRE, *très universitaire.*

Quand on songe à ce qu'il aurait pu faire, doué comme il l'était, avec un peu d'application! Cent fois sur le métier... Mais non! Une sorte de facilité, d'éternelle négligence...

VALÉRIE, *doucement.*

Ou de mépris. Il disait que la littérature, quoi qu'on pense, ne valait pas autre chose que le divertissement d'un moment. Il disait que c'était aussi l'avis de Racine.

PIEDELIEVRE *hausse les épaules, agacé.*

Paradoxe!

CRAVATAR, *aigre.*

Je crains que son mépris faussement grand

seigneur de la littérature (car après tout il n'était que d'une bonne famille de robe) ne l'ait conduit précisément, quelquefois, à une mauvaise littérature.

VALÉRIE

Je ne sais pas. Je ne suis pas critique au « Gaulois » comme vous, Cravatar! En tout cas, je sais qu'il ne s'en est jamais soucié.

CRAVATAR, *aigre.*

Peut-être à tort! On rit d'elle, c'est de bon ton, on la méprise, et puis la littérature se venge.

ESTELLE, *un peu pincée.*

Je vois qu'il vous disait beaucoup de choses, Valérie. C'étaient des cours, ces cinq à sept!

VALÉRIE, *suave.*

Pas uniquement, Estelle. *(Un ange passe.)*

On entend le chien hurler dehors. Cravatar se détourne rageur.

CRAVATAR

C'est agaçant à la fin, ce chien!

LE NOTAIRE

Oui. On n'a pas encore trouvé le moyen d'apaiser cette pauvre bête. Les gens du village disent qu'il faudra finir par l'abattre.

VALÉRIE

Le chien d'Antoine? Quelle horreur!

ESTELLE, *après un petit temps, nettement.*

Quand on vendra la maison, on le donnera. Voilà tout.

Un silence. Carlotta qui s'était endormie raide sur sa canne sursaute et crie soudain réveillée par un nouveau hurlement du chien.

CARLOTTA

Qu'est-ce qui se passe? Où sommes-nous? C'est mon entrée?

MARCELLIN *s'est précipité.*

Chère... chère grande amie... Reprenez-vous...

CARLOTTA *crie encore égarée.*

Où sommes-nous?

MARCELLIN. *Il lui parle comme à une enfant.*

Chez Antoine... Chez le cher Antoine... En Bavière... Dans son beau château... Pour l'ouverture de son testament...

CARLOTTA, *qui revient à elle.*

Ah, bon! Je croyais que c'était mon entrée.

Ce régisseur est un imbécile, il me réveille toujours trop tard. C'est vrai : Antoine est mort. Il neige toujours ?

MARCELLIN, *lugubre.*

Toujours.

CARLOTTA, *sinistre.*

Je le sens dans ma jambe gauche. Il y a de l'aspirine ici ?

MARCELLIN, *au notaire.*

Est-ce qu'il y a de l'aspirine ici ?

LE NOTAIRE

Je vais faire l'impossible pour vous en trouver, madame.

Il sort après avoir claqué les talons cérémonieusement devant Carlotta.

CARLOTTA, *sourdement quand il est sorti.*

J'ai horreur de l'Allemagne ! J'ai horreur des Allemands ! Ils vous prennent l'Alsace et la Lorraine et après, ils vous offrent de l'aspirine en claquant les talons. Et d'abord, on a mal au genou dans leur pays ! Marde ! Pays de cochons de marde ! Je leur en foutrai, moi, de la neige ! Place du Palais-Royal : on jette du sel ! Sauvages ! Teutons ! Vous aimez Gœthe, vous ? Moi, « Werther », ça m'a toujours assommée. Je leur passe Wagner, c'est un tripier et moi je ne crois qu'aux tripes : j'en vends moi aussi. Seulement, chez eux, c'est toujours trop long et si vous voulez le savoir : finalement on s'emmarde à Bayreuth ! Et on y mange mal ! Ce sont des gens qui n'ont jamais su vivre !... *(Elle se lève soudain péniblement, s'aidant de sa canne.)* Il faut que je marche ou sans cela je vais être bloquée...

Elle se met à arpenter la salle sombre avec sa canne. Comme l'éclairage baisse de plus en plus, elle disparaîtra dans des zones d'ombre de la vaste pièce et réapparaîtra parfois, comme un fantôme shakespearien, pendant la scène qui va suivre. Les jeunes femmes se sont éloignées aussi.

CRAVATAR *s'est rapproché de Piedelièvre qui regarde la neige tomber.*

C'est curieux cette idée d'être venu finir en Allemagne. Cela lui ressemblait si peu, au fond, l'Allemagne...

PIEDELIEVRE

Il avait eu une bonne allemande, petit, dont il parlait souvent. Et je crois qu'il n'avait guère reçu de sa mère que des baisers hâtifs sur le front le soir avant l'opéra ou le bal en aigrettes et en robe de gala. La vicomtesse de Saint-Flour était une femme très à la mode, à la fin du siècle... Et par contrecoup, il s'était beaucoup attaché à cette autre femme, enfant.

Il parlait toujours du choc que lui avait causé son départ, à huit ans, quand on avait décidé de le mettre chez les Jésuites. Les impressions d'enfant jouaient un très grand rôle chez lui. *(Il ajoute plus bas avec un coup d'œil vers Estelle qui visite la galerie du fond avec Valérie.)* Et puis — il avait le goût des Allemandes — je crois que cette dernière jeune fille était allemande aussi. Dans un monde où la Parisienne et l'Américaine font la loi, il disait que c'étaient les dernières vraies femmes...

CRAVATAR *ricane.*

Douce Gretchen! Au fond, il était resté très fleur bleue. Son théâtre pue le sentiment. C'est ce qui l'avait sans doute poussé à adapter l'absurde « Das Kätchen von Heilbronn » de Kleist qui avait été un four retentissant!

PIEDELIEVRE *continue.*

D'un autre côté, un irrésistible penchant à la bouffonnerie — pire, à la gaudriole et au cynisme. J'avoue qu'à certaines de ses pièces j'ai quelquefois été choqué comme une vieille demoiselle. On aurait presque pu le croire un obsédé sexuel et pourtant...

CRAVATAR *tranche.*

Infantilisme, mon cher! La petite fleur bleue et le touche-pipi, et rien entre. Mais c'est un stade que les hommes dépassent généralement. Infantilisme! Comme dans ses idées politiques, d'un autre âge! Au fond, il avait quelque chose de demeuré.

PIEDELIEVRE, *doucement.*

Vous tranchez vite. Je sais bien que vous êtes le critique le plus expéditif de Paris — et que c'est ce qui a fait votre autorité — mais les hommes sont des animaux singuliers, Cravatar, qui ne se laissent pas mettre en formule aussi facilement que les auteurs. Sous sa légèreté apparente, Antoine était un homme assez mystérieux.

CRAVATAR

Il n'y a rien de plus mystérieux que les gens qui n'ont pas grand-chose à dire.

Le chien s'est remis à hurler dans la cour.

CRAVATAR, *s'éloignant agacé de la fenêtre.*

Je ne sais si vous êtes comme moi : ce chien m'exaspère!

MARCELLIN, *qui s'est rapproché d'eux, mystérieusement.*

Chers amis, je crois qu'il faudrait que nous arrêtions un plan de conduite. Nous sommes des hommes, nous aimions bien Antoine, nous sommes là pour lui : il faut que nous tentions l'impossible pour que cette confrontation qui risque d'être pénible à bien des égards ne tourne pas au scandale — ou pire, à la chienlit. Cette Madame Duchemin me semble inoffensive — la bombe a toutes chances d'être désamorcée — les amours d'Antoine à vingt ans — après tout, il y a prescription! Mais la confrontation d'Estelle, qui me paraît très nerveuse, et de la dernière maîtresse de son mari, me glace d'horreur. Je sais bien qu'Antoine était un pince-sans-rire, mais il aurait tout de même pu nous éviter cela! Comment nous y prendre?

PIEDELIEVRE

Il faut parler à Estelle.

MARCELLIN

Bien sûr, mon bon Piedelièvre, mais qu'est-ce qu'il faut lui dire?

CRAVATAR, *soudain.*

Vous voulez que je vous dise mon sentiment? Antoine était un parfait mufle, voilà tout! Sacrebleu! On trompe sa femme, mais on s'arrange pour le faire discrètement! Et si on claque, et qu'on veuille assurer l'avenir de sa petite amie, on lui fait un legs discret — sous un prête-nom au besoin. On ne la convoque pas en même temps que sa veuve à l'ouverture de son testament! *(Il marche dans la pièce furieux; il s'exclame encore rageur :)* Et puis, d'abord, on a un notaire à Paris! On n'embarque pas tout son monde en Bavière, à dix-huit cents mètres d'altitude, en plein hiver. C'est du théâtre! C'est du très mauvais théâtre! Vous me permettez d'être franc? Il a voulu se payer le luxe de se foutre de nous, encore une fois, votre cher Antoine!

Il a crié cela avec tant de hargne que Marcellin lui demande doucement.

MARCELLIN

Mais alors, pourquoi êtes-vous venu, Cravatar?

CRAVATAR, *après une hésitation.*

Je ne suis pas sur le testament. Je suis envoyé par le journal.

MARCELLIN, *malicieux.*

On vous fait faire les chiens écrasés, maintenant, au « Gaulois »?

CRAVATAR, *vexé.*

Non, bien sûr, mais Meyer aimait beaucoup Antoine. Je ne sais pas ce qu'ils avaient pu faire ensemble... Il a voulu, par ma présence, donner tout l'éclat possible à l'hommage qu'il compte lui rendre. Rassurez-vous, je ferai un très bon papier dans le sens désiré par la direction.

PIEDELIEVRE, *un peu peiné après un petit temps.*

Antoine vous estimait beaucoup, Cravatar, malgré quelques mauvais papiers sur ses pièces. Il disait que vous étiez indispensable à la santé du théâtre français. Lui, qui n'en avait d'ailleurs aucun, il avait une passion pour le bon sens. Il disait que c'était comme la soupe, qu'il fallait en manger tout de même.

CRAVATAR *hausse les épaules, vexé.*

Comme la soupe! Des vues philosophiques extrêmement profondes pour un auteur de vaudevilles et de mauvais mélos!

PIEDELIEVRE, *doucement.*

Vous avez tort de hausser les épaules, Cravatar. Son théâtre était une chose, qu'il traitait avec un peu de désinvolture, c'est vrai — mais Antoine était très intelligent — assez pour l'avouer, disait-il en riant — en tout cas, tout autant que les spécialistes de la chose. Seulement, il n'aimait pas se servir de son intelligence. Il disait que c'était de l'onanisme.

CRAVATAR *siffle.*

C'était peut-être tout simplement de la prudence, cette abstention?

Le chien a recommencé à hurler; Cravatar prend soudain une canne qui traîne et sort criant, rageur.

Bon! Moi, je vais le faire taire, ce chien!

MARCELLIN, *montrant Estelle à Piedelièvre quand il est sorti.*

On lui parle, Piedelièvre?

PIEDELIEVRE *a un soupir comique.*

On lui parle. Mais je ne sais vraiment pas comment commencer. Vous savez, moi, sorti de la Sorbonne...

Ils s'en vont vers Estelle revenue du fond avec Valérie, tandis que Carlotta qui a surgi de l'ombre leur lance.

CARLOTTA

Bientôt onze heures! Vous croyez qu'on a prévu un déjeuner après l'ouverture du testament? Tout cela est triste, mais ça creuse.

Sans attendre leur réponse elle a repris sa marche sur sa canne qu'on entend claquer sur les dalles dans l'ombre pendant toute la fin de la scène.

MARCELLIN

Chère Estelle, notre ami Piedelièvre voudrait vous parler de quelque chose...

PIEDELIEVRE, *lâchement.*

A vous dire vrai, Estelle, c'est plutôt une idée de ce cher Marcellin!

MARCELLIN *le regarde sévèrement.*

Je suis toujours surpris, Piedelièvre, quand je rencontre quelqu'un de plus lâche que moi... *(Il se jette à l'eau.)* Nous sommes inquiets, Estelle, nous sommes très inquiets. Nous voudrions, par respect pour la mémoire d'Antoine, que vous nous donniez l'assurance de ne pas faire un trop mauvais accueil à cette jeune femme.

ESTELLE, *fermée.*

Vous voudriez que je lui saute au cou?

MARCELLIN

Nous ne vous en demandons pas tant, ma bonne amie. L'héroïsme a des limites. Mais la mort est passée, effaçant bien des choses. Et je suis sûr que vous comprenez ce qu'il y aurait d'odieux...

ESTELLE, *dure.*

Est-ce que vous avez compris, vous, ce qu'il y avait d'odieux à l'avoir fait venir?

MARCELLIN

Estelle, vous connaissez ma discrétion, je ne vous en ai jamais parlé, mais je crois savoir qu'Antoine a sincèrement aimé cette jeune Maria Werner. Vous savez à quel point de neurasthénie grave était tombé Antoine. Je suis son médecin, je l'ai soigné alors et j'ai été très inquiet, je vous l'ai avoué à l'époque. Cette jeune fille, quoique j'aie souri comme vous, au début, de leur différence d'âge exagérée, l'a certainement sauvé d'une très grave dépression nerveuse. Elle lui a donné, en somme, trois années de paix. Ses dernières.

ESTELLE, *âpre.*

Et elle l'a quitté pour se marier. Le laissant seul à nettoyer son fusil de chasse.

MARCELLIN *reste d'abord interdit, puis murmure.*

Je crois savoir que cela avait été convenu dès le début entre eux deux.

ESTELLE

Y compris le nettoyage du fusil?

VALÉRIE, *doucement, de sa place.*

Que reprochez-vous le plus à cette jeune fille, Estelle, d'avoir été le dernier amour d'Antoine ou de l'avoir quitté pour se marier?

ESTELLE, *tendue soudain.*

J'ai souhaité passionnément pendant trois ans qu'elle le quitte! Qu'il soit enfin trompé à son tour! *(Elle crie.)* Antoine cocu! Enfin!

VALÉRIE, *souriante.*

C'est un vilain mot qui vous va mal — et qui lui va mal.

CARLOTTA, *qui a surgi de l'ombre, s'écrie superbe.*

Moi je l'ai trompé tout le temps! Mais je ne l'ai jamais fait cocu, c'est une question de style *(elle ajoute avec un grand geste noble)* et de répertoire.

On entend soudain le bruit caractéristique de la voiture dehors et des aboiements furieux.

LE NOTAIRE, *qui entre un verre d'eau à la main.*

Voici la voiture.

CARLOTTA, *qui a surgi de l'ombre.*

Et mon aspirine?

LE NOTAIRE, *lui donnant le verre d'eau.*

Et votre aspirine, madame. Excusez-moi.

Il s'est incliné claquant les talons et il est sorti rapidement. Carlotta avale son cachet en grommelant.

CARLOTTA

Encore un que les Prussiens n'auront pas!

Tiens, c'est curieux, je ne sais pas comment cela se fait, leur eau est bonne!

Un temps vide. Tous les personnages se sont groupés. Entre le notaire qui précède une petite vieille dame charmante suivie d'un grand jeune homme timide et d'une grande et belle jeune fille impassible. Ils sont suivis de Cravatar tout pâle, un mouchoir entourant sa main.

LE NOTAIRE *présentant.*

Madame Duchemin et son fils. Madame Staufenbach. Je vais vous nommer les personnes présentes. Madame de Saint-Flour, Madame Carlotta Alexandra, Madame Dubreuil et sa fille, le docteur Marcellin, le professeur Piedelièvre...

LA VIEILLE DAME *s'exclame soudain gentiment.*

Oh, Peau de lapin! Comme vous avez grossi!

LE NOTAIRE *se retourne.*

Monsieur Cravatar, du « Gaulois », qui nous suivait. Mais vous êtes blessé, monsieur?

CRAVATAR, *sombre.*

Oui. Le chien m'a mordu.

Dehors, à ces mots, le chien hurle. Marcellin commence à rire nerveusement, puis se glace quand Cravatar furieux le regarde. A ce moment, un bruit sourd et prolongé au loin. Le notaire sursaute, court d'abord à la fenêtre, puis sort bousculant tout le monde avec un juron en allemand. Tous les personnages ont bougé, dégageant la jeune fille qui est restée seule au fond, impassible, regardant Estelle qui la regarde.

MARCELLIN, *bousculant tout le monde, affolé.*

Qu'est-ce que c'est, nom de Dieu, qu'est-ce que c'est?

CRAVATAR, *qui a couru un des premiers à la fenêtre, se retourne rageur et crie.*

Hé bien, cette fois, ça y est, nous sommes coincés! Antoine l'aura réussie encore une fois, sa fin d'acte! C'est l'avalanche! *(Il hurle au bord de l'hystérie.)* C'est d'un mauvais goût! Ah, l'affreux théâtre!

CARLOTTA, *ravie, raide sur sa canne, glapit de sa voix de fausset.*

C'est admirable! C'est du Sardou!

Le chien s'est remis à hurler, Cravatar se jette sur une canne et se précipite dehors. Tout le monde est aux fenêtres, de dos, sauf Estelle et la jeune fille qui se regardent. Anémone, qui s'est retournée, la regarde aussi et murmure.

ANÉMONE

Comme elle était belle!

ESTELLE, *à mi-voix, sèchement.*

Vous trouvez?

Le noir soudain.

Quand la lumière revient, très vite, tous les personnages sont assis de dos, autour de la table où a pris place le notaire. Il achève la lecture du testament. Près de lui, sur la table, insolite, un gros phonographe à pavillon de cuivre.

LE NOTAIRE, *achevant de lire.*

Je prie Herr Doktor Sigmund Munchlausen, mon notaire, d'être mon exécuteur testamentaire et de veiller à l'accomplissement de mes dernières volontés. Fait à Gerstorf, Bavière, sain de corps et d'esprit, le douze juillet mil neuf cent treize. Antoine de Saint-Flour.

Il y a un petit mouvement silencieux et satisfait de tous, puis un silence. Carlotta dit enfin sourdement, un peu enrouée.

CARLOTTA

Je n'ai pas l'admiration facile, surtout pour mes anciens amants, mais Antoine était un seigneur. Je pense que vous n'êtes pas déçue, Estelle?

ESTELLE, *sèchement.*

Je n'attendais rien d'Antoine sur ce plan. Nous étions d'ailleurs mariés sous le régime de la séparation de biens. Il a été très généreux.

CARLOTTA

De plus, les droits d'auteur sont et resteront considérables! Antoine vient d'entrer au répertoire. Il sera un classique. Qu'est-ce que vous dites, Cravatar?

CRAVATAR, *de marbre.*

Rien.

CARLOTTA, *sans souligner, au notaire.*

Mais l'instrument, maître?

LE NOTAIRE

J'y arrive. Monsieur de Saint-Flour était — vous ne l'ignorez sans doute pas — un amateur de curiosités mécaniques. C'est lui qui a eu un des premiers postes téléphoniques de notre petit pays, et la seule voiture automobile qu'on ait jamais vue dans ce coin de Bavière. Parmi bien d'autres curiosités,

Monsieur de Saint-Flour avait aussi, et il s'en distrayait beaucoup dans ses soirées de solitude, ce phonographe à pavillon et une grande collection de rouleaux : chansons diverses, monologues, et enregistrements d'extraits de pièces classiques... Il y a là votre célèbre Paulus, un certain Mayol qui l'amusait beaucoup, Mademoiselle Mistinguett et même un enregistrement de Madame Sarah Bernhardt dans « Phèdre »... Si l'audition de ces rouleaux vous amusait, ils sont bien entendu à votre disposition.

CARLOTTA *grommelle.*

Vous êtes bien bon! Mais je n'ai pas fait mille kilomètres avec mes rhumatismes pour écouter glapir Madame Sarah Bernhardt!

LE NOTAIRE *a un sourire.*

Je m'en doute, madame, mais ce rouleau-ci doit certainement vous intéresser. Dans les derniers temps, Monsieur de Saint-Flour avait conçu le projet d'enregistrer lui-même certains poèmes qu'il aimait, certaines scènes de ses pièces...

CARLOTTA

Mais comment était-ce possible ici?

LE NOTAIRE

Quand une fantaisie lui venait, rien n'était impossible à Monsieur de Saint-Flour! Il avait persuadé — à grands frais, je dois le dire — un ingénieur spécialiste de Munich de monter jusqu'ici avec tous les appareils nécessaires... J'ai assisté moi-même à cette séance d'enregistrement qui a été très intéressante du point de vue scientifique... Et, en fin de séance, nous ayant demandé de le laisser seul, Monsieur de Saint-Flour a eu l'idée d'enregistrer un petit message qu'il vous destinait — comme s'il prévoyait déjà sa mort et votre visite. Si vous le permettez, je vais mettre maintenant l'appareil en marche et vous laisser seuls pour l'écouter... Vous pourrez constater avec émotion, j'imagine, que le génie moderne a, en quelque sorte, supprimé la mort. C'est la voix même de Monsieur de Saint-Flour, à peine déformée, qui vous sera rendue par cette mécanique... Voilà. Je mets le rouleau en place, l'important est que l'axe soit exactement perpendiculaire... Tout est en ordre. Lorsque je serai sorti, un de ces messieurs aura l'obligeance de déplacer simplement ce levier, vers la droite... Je vous laisse.

Il s'incline et sort.

CARLOTTA

C'est très émouvant. Et en tout cas, c'est bien une idée de lui. Il y avait un côté incurablement farceur chez Antoine. Vous êtes toutes d'accord pour écouter?

Estelle est toute raide, elle ne dit rien, Valérie vient gentiment se mettre près d'elle.

VALÉRIE

Je suis près de vous, Estelle.

ESTELLE, *raide.*

Je vous remercie, Valérie, mais je peux écouter encore une fois Antoine sans m'évanouir.

CARLOTTA

Alors, Piedelièvre, allez-y ! C'est prodigieusement émouvant. Attendez : je cale ma jambe.

Piedelièvre, un peu effrayé, se penche sur l'appareil et actionne avec précaution le levier comme s'il risquait de recevoir une décharge de courant. Il y a d'abord un graillonnement et puis, soudain, une chanson de Paulus éclate, éraillée, insolite. Tout le monde s'est dressé épouvanté, il y a comme une petite panique.

CARLOTTA *crie.*

Arrêtez, voyons, arrêtez ! C'est un scandale !

PIEDELIEVRE, *affolé.*

Mais je ne sais pas arrêter !

Marcellin s'est précipité vers la porte au moment où le notaire entre, rouge de confusion, pendant que Paulus braille toujours joyeusement dans le phonographe.

LE NOTAIRE

Je vous demande pardon! C'est inexcusable! J'ai fait une erreur de rouleau! Je l'avais pourtant soigneusement étiqueté, mais la domestique, en rangeant, a dû déplacer l'étiquette. Je suis vraiment confus! *(Il a arrêté l'appareil.)* Le voilà. C'est bien lui! Je reconnais ma marque. Je ne sais comment vous présenter mes excuses, mesdames...

CARLOTTA *grommelle.*

Tout le monde peut se tromper.

LE NOTAIRE, *raide.*

Pas un notaire allemand! Vous appuyez ici, monsieur, s'il vous plaît. *(Il claque les talons, s'incline et sort.)*

PIEDELIEVRE

J'y vais?

CARLOTTA

Allez-y.

Un silence, un graillonnement d'abord, puis on entend enfin la voix d'Antoine, nonchalante et grave.

LA VOIX D'ANTOINE

Bonjour, mes amis. D'abord je vous remercie d'être venus jusqu'ici, surtout si c'est en hiver. J'espère qu'il ne neige pas trop. *(On entend un grognement furieux de Carlotta. La voix continue.)*

Merci Estelle, je te vois toute menue, un peu pâle. Je suis sûr que tu as de la peine, mais je sais que le noir te va bien.

Merci Carlotta et Valérie, merci Anémone. J'aurai demandé qu'on te fasse venir aussi. Es-tu belle? Es-tu grande? Es-tu déjà mariée? Car après tout, on ne commande pas sa mort et je ne sais pas au juste quand tu m'écouteras...

Merci, bon Piedelièvre, d'avoir hissé ta bedaine de professeur sur ces hauteurs, si loin de la Sorbonne, toi qui détestes la nature autre part que dans les descriptions de Virgile... C'est la dernière vilaine farce que je te fais.

Merci, trop gentil et trop léger Marcellin. Et pardon d'être mort par d'autres mains que les tiennes. Mais c'est mieux, cela t'aurait certainement gâché ta soirée d'avoir à constater sur ton ami l'impuissance de ta médecine.

Il y a un petit temps de graillonnement, puis la voix dit plus secrète.

Je vous remercie aussi, Gabrielle. J'imagine

que votre mari est assez vieux maintenant — et vous aussi — pour vous avoir permis cette petite frasque. Merci d'être venue avec votre fils à ce rendez-vous bizarre — où je ne serai encore pas — comme à notre dernier rendez-vous du jardin du Luxembourg il y a si longtemps. Merci et pardon.

Un petit temps, la voix reprend.

Tu es là aussi, Maria? J'espère que tu as pu venir et qu'ils ne te font pas trop grise mine. Es-tu toujours aussi belle? As-tu ton enfant?

Un silence, puis la voix continue.

Voilà. Je pense que je n'oublie personne. Ah si! J'avais demandé depuis longtemps à Meyer de t'envoyer à mes obsèques pour que tu me fasses enfin un bon papier! Tu es là, Cravatar?

On se retourne un peu vers Cravatar et soudain c'est l'épouvante : car le phonographe continue, nasillard, implacable.

LE PHONOGRAPHE

Tu es là, Cravatar? Tu es là, Cravatar? Tu es là, Cravatar? Tu es là, Cravatar?

CRAVATAR *s'est dressé et hurle.*

Mais arrêtez ça, enfin!

PIEDELIEVRE, *affolé.*

Je ne sais pas comment ça s'arrête!

Marcellin s'est précipité vers la porte comme l'autre fois. Le notaire entre précipitamment tandis que le phonographe continue : Tu es là, Cravatar? Tu es là, Cravatar? Tu es là, Cravatar? Le notaire arrête enfin l'appareil.

LE NOTAIRE, *confus.*

Il y a eu un incident technique! Cette machine n'est pas tout à fait au point. Je vais remettre l'aiguille un peu plus loin sur le rouleau.

Il remet l'aiguille avec précaution. Il y a un graillonnement très pénible le temps que la vitesse reprenne, puis on entend la voix encore très déformée d'Antoine qui dit.

LA VOIX D'ANTOINE

Mais je sais bien qu'au fond tu m'as toujours haï...

Cravatar se détache un peu et allume nerveusement une cigarette.

LA VOIX D'ANTOINE *continue,*
normale maintenant.

Voilà. J'ai voulu pourtant vous réunir — même toi, Cravatar — parce que vous avez été les personnages de ma vie...

Cela a l'air d'être le Châtelet, la vie, parce qu'il y a toujours beaucoup de bruit et de figurants, mais, à la fin, on s'aperçoit qu'il n'y avait que quatre ou cinq acteurs et que la pièce était secrète, derrière tant de coups de théâtre inutiles...

Je sais qu'il y a un certain mauvais goût à vous avoir réunis ici : j'aurais pu, après tout, vous léguer ce que j'avais envie de vous léguer par l'intermédiaire de mon notaire de Paris.

J'ai toujours eu un certain mauvais goût — qui a d'ailleurs perdu mon théâtre, n'est-ce pas, Cravatar? Mais la vie aussi a mauvais goût, et la mort...

En faisant mes comptes — quoique toujours tellement préoccupé de la peine des autres, au fond, que ma vie s'en est trouvée parfois embarrassée — je crois m'apercevoir que je ne vous ai pas donné beaucoup. En tout cas, vous vous êtes tous énormément plaints de moi. C'est très difficile de vivre et presque impossible d'être honnête...

Mais chaque être a son secret et peut-être que, sous le personnage sans retouches que chacun de vous avait exigé que je sois — j'avais mon secret, moi aussi.

Puissiez-vous y penser un instant — puisque vous voilà réunis — pour tuer le temps qui est à la fois si dur à tuer et si court — en attendant tous ensemble le train de Munich... Et après, vive Paris ! et l'oubli. Paris est une ville charmante, où il fait bon vivre, et que je regrette quelquefois.

Il fait aujourd'hui où je vous parle un tendre soleil ici, c'est l'été. Les fleurs du jardin sont insolentes de beauté et cette fin d'après-midi embaume... On vient de tondre les pelouses... Seulement tout ce bonheur qui m'entoure est inutile, parce que je suis seul. Je sais, je l'ai voulu, Estelle !...

Je viens de vivre quatre mois seul, n'ouvrant la bouche que pour commander mon menu en allemand, langue que je ne saurai décidément jamais. Et c'est une chose abominable d'être seul. Comme a dit je ne sais plus qui : on est en mauvaise compagnie...

Il n'y a plus que le graillonnement.
Le notaire arrête et dit simplement.

LE NOTAIRE

L'enregistrement s'arrête là. J'avais dû l'écouter avant de vous le faire entendre, car Monsieur de Saint-Flour, qui m'en avait parlé, avait négligé de me préciser le rouleau sur lequel il se trouvait. Le reste, ce sont des chansons qu'il aimait beaucoup, des chansons gaies...

Il y a un lourd silence, personne ne bouge d'abord, sauf Cravatar qui s'est levé depuis un moment et marche nerveusement dans le fond de la pièce. Le chien soudain se met à hurler. Cravatar saisit une canne et sort rageusement. Encore un silence immobile, puis la première, Maria, qui était assise au dernier rang un peu à l'écart, se lève sans un mot et sort par l'escalier du fond du décor. Les autres, mal remis de leur émotion, se retournent un peu surpris.

CARLOTTA *demande d'une voix enrouée.*

Où va-t-elle?

ESTELLE, *aigre.*

Aux chambres, sans doute. Elle sait où elles sont.

Un petit temps un peu gêné, puis Carlotta se lève et s'exclame rude.

CARLOTTA

Bon! Qui est la maîtresse de maison ici? On s'y perd! On y a pensé à cet en-cas? Moi, j'ai besoin de prendre.

LE NOTAIRE

Je me suis permis de me charger de tout. Il y a heureusement beaucoup de provisions ici. La domestique a préparé un buffet froid dans la grande salle à manger. Excusez-moi. Je pense qu'il est prêt. *(Il est sorti rapidement.)*

CARLOTTA *se lève péniblement.*

Hé bien, passons à table! Après les enterrements ceux qui sont encore vivants mangent; c'est une loi qui est vieille comme la mort. Aidez-moi, Marcellin, j'ai la jambe gauche entièrement bloquée. Dieu sait ce qu'ils vont nous faire bouffer, ces sauvages, pendant deux jours!

MARCELLIN, *sortant avec elle.*

Et moi qui avais une séance très importante à l'Académie de Médecine, mercredi!

CARLOTTA

Il y a du nouveau dans la médecine?

MARCELLIN

Oui. Nous allons blackbouler Chantepierre qui a eu le front de se présenter.

CARLOTTA

L'homme qui a vaincu le typhus?

MARCELLIN, *net.*

Il a vaincu le typhus, mais c'est un ancien dreyfusard.

Ils sont sortis. Gabrielle a pris le bras de Piedelièvre.

Mme DUCHEMIN

Si vous permettez, je me mettrai à côté de vous, Piedelièvre. Je ne connais personne ici. Vous savez que mon grand fils prépare l'agrégation de lettres comme vous. L'autre vient d'être reçu à Polytechnique : il a hérité les mathématiques de son père... Vous vous souvenez quand vous vous cotisiez avec Antoine, pour me faire manger, au quartier latin? Oh, Peau de lapin, Peau de lapin, vous étiez si mince! Comment avez-vous donc fait?

PIEDELIEVRE, *piteux.*

Je ne sais vraiment pas.

Ils sont sortis aussi. Estelle n'a pas bougé, Valérie va à elle.

VALÉRIE

Vous ne venez pas, Estelle?

ESTELLE

Je n'ai pas faim. Et je n'ai pas envie de m'asseoir à cette table.

VALÉRIE

Si nous sommes bloqués ici deux jours, il faudra pourtant que vous mangiez.

ESTELLE

Pas forcément.

VALÉRIE

C'est absurde, venez.

ESTELLE

Non.

Valérie, après avoir haussé les épaules, sort avec Anémone. Estelle est restée seule, en noir, toute raide sur son fauteuil. Cravatar entre soudain et demande.

CRAVATAR

Où sont-ils?

ESTELLE

A table. Ils ont faim.

CRAVATAR

Cette mascarade est abominable!

ESTELLE

Abominable. Mais il l'a voulue. C'était son côté farceur, comme dit Carlotta. Avoir fait venir cette bonne femme qui est tellement commune — et ce garçon qui lui ressemble honteusement, c'est d'un mauvais goût!

CRAVATAR

Antoine éclatait de mauvais goût! Il me détestait, c'est entendu, mais aller faire cet éclat grotesque, dans cet appareil ridicule — une fois mort! *(Il crie rageur.)* Et on ne peut même pas le gifler pour le traîner au Pré Catelan et lui loger du fer dans les côtes... Ah! j'aurais dû le faire avant! J'en ai eu dix fois le prétexte! *(Il marche encore un peu, puis il s'arrête et ajoute sourdement.)* Ce n'est pas vrai. Je ne l'ai pas toujours haï. Il m'agaçait, tout simplement, avec ses faux airs de supériorité qui agaçaient d'ailleurs tout le monde. Au peloton d'élèves officiers à Saumur, il s'était fait des ennemis de tous, avec son éternel sourire. Il n'est d'ailleurs pas passé : il est sorti maréchal des logis, malgré d'assez bonnes notes en français et en mathématiques — parce que le général qui commandait l'école était comme nous tous : il l'avait dans le nez!

ESTELLE

Je crois qu'il aimait être haï. Même quand il faisait le petit garçon malheureux, pour attendrir son monde.

CRAVATAR, *rageur.*

Hé bien, il aura au moins réussi cela. C'est triste à dire, mais j'en connais beaucoup qui ont fait « ouf » à Paris!

Estelle, de marbre, ne dit rien. Cravatar marche un peu dans la pièce, rageusement, puis il se rapproche et lui dit soudain.

CRAVATAR

Estelle, je ne vous l'ai jamais dit, mais je n'ai commencé à le haïr vraiment que lorsque j'ai vu ce qu'il était en train de faire de vous.

ESTELLE, *fermée.*

Je sais, vous avez été très amical, toujours.

CRAVATAR

Un être comme vous, Estelle, éteint par ce mufle!

ESTELLE, *bizarrement.*

Pauvre Estelle! Une petite bougie soufflée.

CRAVATAR

Alors que tant d'autres auraient été comblés... *(Il conclut.)* Enfin, vous voilà libre maintenant.

ESTELLE

Oui.

CRAVATAR, *après un silence.*

J'ai admiré votre fidélité absurde, envers et contre tous, dans ce petit monde parisien où on ne s'embarrasse pas de tant de scrupules. J'ai vu qu'on vous faisait beaucoup la cour...

ESTELLE, *doucement*.

Oui, c'est curieux. J'ai plu à tout le monde sauf à l'homme que j'avais épousé.

CRAVATAR *continue*.

Les hommes à femmes, on sait ce que c'est, Paris en grouille. Mais d'abord, ils y mettent des formes, quand ils se piquent d'être des hommes du monde. Et puis, ils ont généralement des femmes qui se vengent. Personne n'a jamais compris votre réserve.

ESTELLE

Personne. Même pas moi.

CRAVATAR

Mais enfin, vous avez été amoureuse de lui?

ESTELLE

A vingt ans, quand il m'a prise chez mon père, oui, très fort.

CRAVATAR

Et vous avez tout de même eu...

ESTELLE, *enchaînant*
avec un petit sourire tendu.

Ce qu'on appelle quelques années merveilleuses. Pendant qu'il me faisait mes enfants.

CRAVATAR

Il vous trompait déjà?

ESTELLE

En tout cas, je ne le savais pas. Nous vivions toujours à la campagne. C'est une époque où il a beaucoup écrit.

CRAVATAR

Et vous étiez heureuse?

ESTELLE

Oui. Derrière un brouillard. Pour être sincère, je crois que je m'ennuyais un peu.

CRAVATAR

On vous trouvait déjà triste quand on venait vous voir dans cette grande maison de Barbizon. Pourquoi ne reveniez-vous pas vivre à Paris? Les promenades dans les bois, c'est bien, mais cela n'a qu'un temps.

ESTELLE

Antoine qui avait l'air si brillant en public adorait au fond la solitude et cette maison. Et la vie d'Antoine, quand on y regarde bien, n'a été faite que de maisons. Il avait choisi celle-là pour inaugurer sa jeune fille sage et son désir tout neuf d'une famille, en sortant de l'enfer de Carlotta, voilà tout. La maison et moi, nous faisions partie du même lot. Il semblait, en tout cas, très heureux. Ce bonheur — un peu assourdi pour moi, je dois le dire — a duré quelques années et puis...

CRAVATAR, *comme elle s'est arrêtée.*

Et puis?

ESTELLE

Cela n'a plus été tout à fait le bonheur. Les disputes ont fait leur entrée dans la maison. A pas feutrés d'abord, assez modestes, comme des étrangères qui ne sont pas sûres d'être acceptées, puis triomphantes. Et à la fin c'est elles qui ont été chez elles, dans la belle maison, plus nous!

CRAVATAR

Comme vous dites cela drôlement!

ESTELLE

Oui. Pauvre Estelle, on le reconnaît, a de l'humour. Cela lui a beaucoup servi dans sa nouvelle carrière de méchante.

CRAVATAR

Vous n'êtes pas méchante.

ESTELLE, *sourdement.*

Si. Je le suis devenue. Il y a dix ans que j'en veux à tout le monde.

CRAVATAR

De quoi?

ESTELLE, *après une hésitation.*

De ne pas avoir été moi.

CRAVATAR

Qu'est-ce que vous voulez dire?

ESTELLE *crie soudain âprement.*

Que je n'ai jamais été moi! J'ai été la femme d'Antoine. Et maintenant, si je n'y prends pas garde, je vais être la veuve d'Antoine. C'est pour cela que j'ai fini par lui en vouloir. C'est pour cela que je me suis dressée contre lui, pour tout, tout le temps, avec une agressivité qui lui a paru incompréhensible, que j'ai exigé le retour à Paris, que je me suis mise à sortir avec tout le monde, sans lui, quand il ne voulait pas venir, pour être moi, enfin. *(Elle répète.)* Moi! Moi! J'existe, moi! Il n'y a pas qu'Antoine au monde!

ANÉMONE, *qui était entrée, dit doucement.*

Il n'y est même plus du tout, Estelle, si vous voulez le savoir.

Un silence, puis Estelle demande enfin, agressive.

ESTELLE

Qu'est-ce que vous vouliez, ma petite Anémone?

ANÉMONE

Maman m'envoie vous demander de passer à table. Elle pense que ce serait plus décent. Ne serait-ce que pour ce notaire allemand qui est au garde à vous derrière sa chaise et qu'on ne décidera jamais à s'asseoir sans vous.

ESTELLE *s'est levée et dit sèche et légère.*

Hé bien, allons-y. Il faut avoir pitié des notaires allemands englués dans la politesse.

ANÉMONE, *étrangement, doucement.*

Il faut avoir pitié de tout le monde, Estelle.

ESTELLE *a un petit rire.*

Comme on est sage de nos jours à dix-huit ans, à Passy! De mon temps on ne songeait qu'à s'amuser. Vous venez, Cravatar?

Ils sont sortis. Anémone restée seule va jusqu'au phonographe, hésite un peu sur la manœuvre, puis met en marche et cherche un passage avec l'aiguille sur le rouleau. Quand elle a trouvé, on entend la voix d'Antoine qui dit doucement.

LA VOIX D'ANTOINE

Merci, Anémone. J'aurai demandé qu'on te fasse venir. Es-tu belle? Es-tu grande? Es-tu déjà mariée? Car après tout, on ne commande pas sa mort et je ne sais pas au juste quand tu m'écouteras...

Elle a arrêté le rouleau. Elle a un petit geste tendre et insolite, une sorte de caresse, au grand pavillon de cuivre; elle dit doucement, immobile.

ANÉMONE

Je suis là. Je ne suis pas mariée, et je crois que je suis plus belle... Tu n'as pas voulu de moi parce que j'étais trop petite, mais moi je t'aimerai toujours. Et tout cet argent que tu m'as laissé, je l'enverrai au docteur Schweitzer; et je m'en irai, avec lui, en Afrique soigner des lépreux. Et quand je serai très, très vieille...

Elle n'achève pas. Elle est immobile, pleine d'une résolution enfantine qui doit faire sourire. Le jeune homme est entré; il dit, gauche.

LE JEUNE HOMME

Mademoiselle, on m'envoie à mon tour vous chercher.

Anémone le regarde, hostile, puis comme surprise de le voir gauche et charmant. Ce regard dure un peu trop longtemps, on le sent. Elle a un petit sourire, lui aussi. Elle dit simplement.

ANÉMONE

Je viens.

Elle sort, il la suit muet. Le rideau tombe.

FIN DU PREMIER ACTE

DEUXIÈME ACTE

Quand le rideau se lève, il neige toujours; on ne sait pas quelle heure il peut être, sans doute la fin de l'après-midi. Cravatar devant la fenêtre, au fond, de dos, regarde dans la cour. Gabrielle et Piedelièvre sont assis l'un à côté de l'autre sur le canapé. Gabrielle brode un ouvrage vaguement ridicule.

PIEDELIEVRE

L'effroyable légèreté d'Antoine!

GABRIELLE, *nette.*

Il ne faut pas recommencer à me dire du mal de lui, Peau de lapin, comme autrefois quand vous étiez jaloux. Antoine était très bon. Je n'ai jamais rencontré d'homme aussi bon que lui. Seulement il avait des trous de mémoire, cela peut arriver! J'ai élevé mon enfant; j'ai épousé un très brave garçon et j'ai tout de même vécu.

PIEDELIEVRE, *amer.*

Et moi, je suis devenu un vieux sorbonnard ventru...

GABRIELLE, *souriante.*

Et vous m'avez oubliée... Cela meurt, l'amour, Peau de lapin.

PIEDELIEVRE, *sourdement.*

Hélas!

GABRIELLE *s'écrie comique.*

Vous voulez dire, heureusement! C'est un accident épouvantable dont il faut s'estimer bien heureux quand on s'en tire avec ses quatre membres.

PIEDELIEVRE, *sourdement encore, après un temps.*

Ses quatre membres, pour faire quoi?

Il y a un petit silence, puis Gabrielle dit sourdement aussi.

GABRIELLE

Évidemment, pas grand-chose... La petite besogne de fourmi de la vie. Mais quand on joue éternellement sur l'amour, comme Antoine, vous voyez bien qu'on aboutit dans le même désert. Qu'est-ce que nous faisons ici, tous, depuis ce matin? Nous attendons qu'on déblaie l'avalanche, voilà tout. La grande Carlotta sur sa canne, la petite Estelle dans ses voiles, la belle Valérie — et même la si tendre

Gabrielle Blancmesnil qui se serait jetée sur un mot de lui, liée à lui, dans la Seine, tellement elle l'aimait fort — qu'est-ce qu'elles font, toutes ses amoureuses, vous pouvez me le dire, Peau de lapin? Elles sont en train de compter les coups de pelle des Bavarois! Et la bouche d'Antoine qu'elles ont tant baisée à tour de rôle n'a déjà plus de forme dans son beau cercueil pourri. Voilà. Il y a plein de très beaux poèmes là-dessus dans toute la littérature française... Et ce n'est pas si triste, Peau de lapin! C'est tout juste bon à apprendre aux écoliers.

PIEDELIEVRE *crie soudain, comique et désespéré.*

J'aurais voulu être aimé de vous, Gabrielle, et devenir un grand poète!

GABRIELLE *se lève, riant à cette idée.*

Peau de lapin! Vous les expliquez aux enfants, les poètes, c'est déjà quelque chose... *(Elle demande d'un autre ton, rangeant son ouvrage.)* Où sont Alexandre et cette petite fille? Depuis que le notaire leur a fait donner des raquettes, on ne les voit plus...

PIEDELIEVRE

Ils parcourent la montagne... Ah! avoir vingt ans et courir sur la neige avec une jeune fille!...

GABRIELLE, *riant encore.*

Trop tard, Peau de lapin, vous enfonceriez, si grandes que soient les raquettes.

Entrent Carlotta et Marcellin venant du dehors, blancs de neige et emmitouflés.

CARLOTTA

Nous avons été faire quelques pas dehors : c'est à la fois intenable et insipide. De la neige, de la neige et encore de la neige. On ne voit rien. C'est bien d'eux! Quand ils ont par hasard un paysage admirable, ils s'arrangent pour qu'on ne le voie pas!

MARCELLIN

L'air est très vif, très sain.

CARLOTTA *grommelle.*

On voit bien que vous n'avez pas d'asthme, mon bon. Nous avons repéré le cimetière sur la colline, entre le château et le village, il n'est en tout cas pas question que je monte jusque-là sans ascenseur!

PIEDELIEVRE

Le temps s'améliorera peut-être, d'ici demain.

CARLOTTA

Le temps peut-être, mais pas mon genou.

Je le connais, je suis bloquée pour un mois. Ah! J'ai eu une jolie idée en acceptant cette invitation! *(On la regarde un peu gêné, elle enchaîne.)* Oui. Je sais. Antoine est mort — et il est mort au début de l'hiver. Mais enfin, il aurait pu mourir en été, cela aurait arrangé tout le monde. Cela doit être très joli, la Bavière en été! Il doit y avoir plein de petites fleurs. Marcellin, vous qui savez la langue, allez donc demander en allemand à cette vieille bonne ce qu'elle m'a fait boire après le déjeuner. Cela m'avait requinquée... C'était la bonne d'Antoine, de son vivant?

MARCELLIN

Oui. Et le notaire m'a donné un détail très touchant. Il paraît que c'est sa bonne d'enfant qu'il avait retrouvée et qu'il avait reprise à son service les derniers temps. Vous savez bien : Frida! Il en parlait toujours! Il ne peut pas ne pas vous en avoir parlé.

CARLOTTA, *qui est en train de s'installer confortablement sur le canapé, grommelle.*

Souviens pas. Nous parlions surtout théâtre avec Antoine, lorsque nous ne nous disputions pas...

PIEDELIEVRE *s'est rapproché, gourmand soudain.*

Que me dites-vous, Marcellin, c'est la fameuse Frida, cette femme qui nous a servis?

Mais c'est très intéressant cela, du point de vue biographique! Je dirai même que c'est inespéré! Vous pourriez l'interroger pour moi, Marcellin? Cette femme doit connaître des détails extraordinaires. J'ai déjà réuni un certain nombre de photographies d'enfance et sur la plupart d'entre elles on voit toujours cette capiteuse fille blonde en costume bavarois. *(Il cligne de l'œil.)* Le premier amour d'Antoine à huit ans, en somme?

MARCELLIN, *vaguement égrillard.*

Dont il ne reste plus, hélas, que le costume... Dites-moi, vous le préparez déjà votre bouquin sur lui, cachottier? Il est vrai que dans le domaine de l'édition il faut battre le fer... j'allais dire quand il est chaud!

PIEDELIEVRE, *vexé.*

Vos plaisanteries de carabin ne font rire que vous, Marcellin! J'étais l'ami d'Antoine, j'ai une grosse documentation personnelle, l'accès à la documentation familiale... Je ne vais tout de même pas le laisser écrire à Cravatar, ce bouquin!

CRAVATAR *s'avance.*

On parle de Cravatar?

PIEDELIEVRE

Ah! vous étiez encore dans votre fenêtre,

vous? Qu'est-ce que vous y faites depuis le déjeuner?

CRAVATAR, *sombre.*

Je surveille le chien. Sa niche est juste en dessous. Depuis la correction que je lui ai flanquée, tant qu'il voit que je le regarde, il n'ose plus hurler. Je n'en peux plus de l'entendre, ce cabot!

CARLOTTA *crie de loin.*

Vous m'oubliez, Marcellin! J'ai besoin d'être requinquée!

MARCELLIN

J'y vais, chère amie.

PIEDELIEVRE, *le suivant.*

Je vous accompagne. J'ai envie de voir cette Frida de près. Toute l'enfance d'Antoine... *(Ils sont sortis.)*

CRAVATAR *s'est rapproché de Carlotta.*

Qu'est-ce que vous en pensez, du discours d'Antoine dans son appareil?

CARLOTTA

Je n'ai pas tout entendu. J'étais un peu loin. Mais j'ai trouvé cela très touchant.

CRAVATAR

En femme de métier, vous trouvez que c'était bien dit?

CARLOTTA

Très.

CRAVATAR, *aigre.*

Trop! J'imagine qu'il avait dû le répéter devant sa glace pour soigner ses effets. Je le vois d'ici, se voyant nous déchirant le cœur! Il adorait donner mauvaise conscience aux autres et il y excellait. C'est extraordinaire le nombre de gens qu'il a eus comme ça. « Moi, le pauvre Antoine qui suis mort — et vous, vous êtes encore vivants — et vous ne m'avez pas aimé comme vous l'auriez dû! » C'était son côté juif.

CARLOTTA

Mais Antoine n'était pas juif!

CRAVATAR, *rageur.*

Non, mais il aurait dû l'être! Ah! c'était un maître dans le domaine de l'attendrissement! C'est comme cela qu'il avait eu toutes ses femmes. D'ailleurs, il était du métier. Il avait si longtemps fait pleurer, Margot, qu'il savait admirablement s'y prendre. Tel que je le connais, il avait dû se jurer de nous avoir une dernière fois, avec son truc. En tout cas, avec moi, cela a raté!

CARLOTTA, *soudain.*

Vous me fatiguez avec votre haine, Cravatar. Nous sommes bloqués au fond de la Bavière et j'ai mal à mon genou. La situation est assez pénible comme cela, je n'ai pas envie de vous écouter baver votre venin en plus. Je ne suis plus en assez bonne santé pour me disputer. Rendez-vous donc plutôt utile. Retournez surveiller le chien!

Cravatar glacé retourne à sa fenêtre. Carlotta regarde Gabrielle qui la fixe intensément depuis un moment, elle crie soudain.

CARLOTTA

Qu'est-ce que vous avez, vous, à me regarder comme ça?

GABRIELLE

Je comble un long retard. Il y avait bien les photographies des programmes mais, pendant de longues années, une sorte de pudeur m'a empêchée de retourner au Français. Et pendant les premiers temps, où le sommeil n'a pas été facile, je passais mes nuits à essayer de vous imaginer.

CARLOTTA *grommelle.*

Quelle idée, puisque vous pouviez me voir pour cent sous! Moi, tout le monde peut me voir pour cent sous.

GABRIELLE

Je vous ai dit que les premières années, cela me faisait honte d'aller vous épier... Après, quand ma peine a été moins vive, j'ai cédé à la curiosité et j'ai été vous voir — pour un franc vingt-cinq, d'ailleurs — en faisant très longtemps la queue, aux galeries.

CARLOTTA, *rogue.*

Et cela vous a avancée à quoi, de m'avoir vue?

GABRIELLE

Je vous ai trouvée très belle — terrible aussi. Ce jour-là vous jouiez Hermione. J'ai pris conscience de mon insignifiance et j'ai compris Antoine.

CARLOTTA *grommelle.*

C'était un réflexe de jeune dinde! Il ne faut jamais comprendre son ennemi. C'est toujours comme cela qu'on perd les guerres.

GABRIELLE, *doucement.*

Mais vous n'étiez pas mon ennemie...

CARLOTTA

Si, puisque je vous avais pris quelque chose. Il ne faut rien se laisser prendre — jamais! Moi, quand il s'est toqué d'Estelle — et pourtant Dieu sait si nous avions déjà bourlingué tous les deux — j'avais un petit ami au Français à l'époque que j'aimais beaucoup — Ducourmou — il est sociétaire maintenant, vous l'avez peut-être vu dans « Les Burgraves »? J'ai feint de m'incliner — cela arrangeait mes affaires du moment — mais j'ai fait en sorte de leur rendre la vie impossible. Elle a été mouvementée, je vous le jure, leur lune de miel! Je me suis suicidée trois fois.

GABRIELLE

Vraiment suicidée?

CARLOTTA *grommelle.*

Assez, en tout cas, pour le faire revenir trois fois de Venise, pendant son voyage de noces. Il aurait fait des économies en prenant tout de suite un abonnement aux chemins de fer! Je ne souffrais pas tellement, à dire vrai, mais je voulais qu'il souffre : c'est ça l'amour! Remarquez qu'à chaque fois, je payais le prix : la petite se rongeait les ongles toute seule au Danieli, lui il passait la nuit en train, bourrelé de remords — mais moi, j'étais obligée de vomir!

GABRIELLE, *doucement.*

Moi, je ne me suis pas suicidée. Je me suis mariée.

CARLOTTA, *sombrement.*

Cela revient au même. *(Il y a un silence, puis elle s'écrie soudain.)* Si on est bloqués ici, vous n'allez pas continuer à me regarder comme ça pendant trois jours? Vous voulez que je vous signe un programme?

GABRIELLE, *qui la regarde toujours étrangement.*

Je regarde ma peine de jeune fille et cela me fait du bien. Elle prend quelque chose d'amusant. Ce n'était que cela, ma peine! Ce n'était que vous. Un vieux monstre de théâtre.

CARLOTTA, *rogue.*

Si vous voulez que nous nous mettions à nous dire des grossièretés, ma petite, moi je veux bien. Mais je suis certainement plus entraînée que vous : vous ne tiendrez pas. Vous savez, à la Comédie-Française ce n'est pas de tout repos. Pour le défendre, son bout de gras, la lutte entre Madames, on a l'habitude : c'est le pain quotidien. Et on n'y va pas mou! Il m'est arrivé, avec la Weber, de jouer toute une scène d' « Andromaque » en nous traitant toutes les deux de salopes entre chaque alexandrin. Et avec ça, le rimmel qui coulait, comme de juste, et toute cette salle de crétins qui sanglotaient, tellement ils nous trouvaient pathétiques! Pour l'injure on est des athlètes, rue de Richelieu! Dès le Conservatoire avec les copines, on s'apprend! Et pas seulement pour l'injure, pour la méchanceté florentine, la vraie, la polie, celle qui vous étend la bonne femme pour la vie... Alors, ne taquinez donc pas les vieux fauves. On est tous fatigués et on est là pour s'attendrir sur Antoine qui a cassé sa pipe. *(Elle ajoute désespérée.)* Si seulement je n'avais pas mal au genou!

GABRIELLE *regarde cette vieille femme pitoyable qui geint, se frottant la jambe, et elle demande soudain.*

Vous avez essayé le Baume des Brahmanes?

CARLOTTA

Non. Qu'est-ce que c'est que ça?

GABRIELLE

Un vieux remède. Sur le prospectus ils disent que c'est un secret hindou. Moi, il n'y a que cela qui me soulage quand je suis bloquée. Deux heures après, ça y est, je marche.

CARLOTTA

C'est quel genou, vous?

GABRIELLE

Le droit.

CARLOTTA

Moi, c'est le gauche. C'est encore plus emmardant.

GABRIELLE

Pourquoi?

CARLOTTA, *agacée.*

Je ne sais pas. Parce que c'est à celui-là que j'ai mal ! Et vous dites que cela vous soulage, votre baume hindou ?

GABRIELLE

Très vite. J'en ai dans ma valise. Si vous voulez, je vais vous en chercher. Je vous ferai un petit massage.

CARLOTTA, *soudain attendrie.*

Vous êtes un chou, mon petit, allez-y donc ! Il faut s'entraider entre femmes. De toute façon, ce sont les hommes qui sont les cochons. *(Elle la regarde soudain, presque humaine.)* Et il vous a laissée comme ça, mon petit chou, attendant un enfant, pour venir faire le joli cœur dans les coulisses et me dire qu'il était fou de moi ?

GABRIELLE, *gentiment.*

Oui, mais il ne savait pas que j'étais enceinte... Je suis sûre que s'il avait su...

CARLOTTA

Tout de même ! C'était une belle ordure, votre Antoine ! Mais rassurez-vous, je vous ai vengée.

GABRIELLE *demande*
avec une sorte de timidité angoissée.

Vous n'allez pas me dire que vous ne l'avez jamais aimé ?

CARLOTTA, *sourdement.*

Non, bien sûr. Quand on trompe un homme pendant dix ans, c'est qu'on l'aime, sans cela on le quitte. C'était tout de même un amant merveilleux. Emmardant comme la fumée, pas tellement intelligent au fond, mais enfin, il avait quelque chose... Allez donc me la chercher, votre pommade, je vous expliquerai ça pendant que vous me masserez le genou. Cela nous tuera le temps.

GABRIELLE

J'y vais. Mais je ne sais pas si j'ai très envie de vous entendre me parler d'Antoine...

CARLOTTA

Ma petite, il y a si longtemps! Tout ça, maintenant, c'est « les Trois Mousquetaires ». Du vieux roman qui ne fait plus peur. On connaît tous les épisodes et on sait que cela se termine bien.

GABRIELLE, *doucement.*

Plus pour Antoine.

CARLOTTA *a un geste et dit, sombre.*

Bah! A nos âges, c'est la retraite de Russie. On ne s'attendrit plus sur le camarade qui tombe, parce qu'on a enfin compris qu'on y passerait tous. *(Un silence, elle constate.)* Et il neige toujours. Cochons d'Allemands!

Elle continue à marmonner, on n'entend plus ce qu'elle dit, vieille idole raide sur sa canne. Gabrielle la regarde encore un instant avec cet étonnement triste qu'elle a eu pendant toute la scène, puis sort. En sortant, elle croise Marcellin qui revient, précédant une très vieille femme en costume bavarois qui porte cérémonieusement un verre sur un plateau, qu'elle va tendre à Carlotta.

MARCELLIN

Voici votre requinquant, grande amie!

CARLOTTA, *avec un accent épouvantable à la vieille.*

Dankeschön, darling! C'est comme ça qu'on dit, Marcellin?

LA VIEILLE

Bitte schön. *(Elle sort impénétrable et silencieuse dans l'attente curieuse de tous.)*

PIEDELIEVRE, *qui l'a dévorée du regard, murmure dès qu'elle a disparu.*

C'est prodigieux!

CARLOTTA, *qui boit.*

Qu'est-ce qui est prodigieux?

PIEDELIEVRE

Cette femme! Toute l'enfance d'Antoine! J'en ai les larmes aux yeux. Je voudrais pouvoir l'emmener à Paris!

CARLOTTA *grommelle dans son verre.*

Il ne faut tout de même pas exagérer! Antoine a été moutard, c'est entendu — comme nous tous. Nous avons tous fait caca dans des petits pots et suçaillé des sucettes, nous avons tous eu des bonnes d'enfant — mais il ne viendrait à l'idée de personne d'en faire des reliques dans des musées...

PIEDELIEVRE

Mais, grande amie, dans le cas présent...

CARLOTTA, *l'interrompant, furieuse.*

Non! Cela m'agace, cette mode de maintenant, de s'intéresser uniquement aux petites choses des grands hommes, alors que ce qu'ils ont fait de grand, au fond, tout le monde s'en moque plus ou moins! Antoine a été un grand auteur, il a fait de très belles pièces. Bon. C'est tout. Qu'on les rejoue! Le reste, on s'en fout! *(Elle vide son verre, toussant.)* Ce n'est pas mauvais leur arquebuse, mais c'est raide!

MARCELLIN

Et cela ne doit pas être bon pour le genou!

CARLOTTA, *à Marcellin.*

Non, docteur, mais c'est bon pour l'estomac et il faut aller au plus pressé. *(Elle continue, furieuse.)* Vous êtes un professeur, Piedelièvre — indécrottablement! Molière — on n'a même pas les manuscrits de ses pièces. C'étaient des gens qui ne les collectionnaient pas eux-mêmes, d'avance, comme les petits impuissants d'aujourd'hui! Ils écrivaient sur des papiers de cabinets et sitôt donné au copiste, ils en faisaient des cornets à frites. C'étaient des hommes! Racine, pareil. Racine, c'est mon dieu — mais si on retrouvait ses fausses dents, vous croyez que je me dérangerais pour aller les voir? Tout ça, c'est des mœurs pour Madame Sarah Bernhardt qui se produit dans des cirques! C'est du Barnum!

PIEDELIEVRE, *qui n'a pas pu placer un mot.*

Certes, grande amie, mais dans le cas présent, nous pouvons penser qu'il y a quelque chose d'émouvant à voir en chair et en os, une personne qui a été — je le sais — tout le recours, tout l'univers d'Antoine enfant. Antoine avait gardé une impression profonde de son enfance abandonnée et sa bonne — cette Frida — a longtemps été tout son amour. Je sais que c'est une théorie très moderne, et fortement controversée, mais il paraît prouvé qu'il reste au fond de notre subconscient...

CARLOTTA *grogne.*

Qu'est-ce que c'est que ça?

PIEDELIEVRE *continue.*

Au fond le plus secret de nous-mêmes, si vous voulez — une trace indélébile de nos premières émotions, et son amour pour cette femme — cette bonne — qui avait remplacé sa trop légère mère, a certainement marqué Antoine.

CARLOTTA *ricane.*

C'est peut-être pour cela qu'il a couché avec toutes les miennes, l'animal! Vous ne pouviez pas sonner pour une tasse de thé, l'après-midi, il se levait d'un air nonchalant et — hop! — sitôt le thé servi, il coinçait la femme de chambre derrière la porte. J'ai fini par engager un Chinois, pour pouvoir boire mon thé tranquille...

CRAVATAR, *qui est revenu vers eux, l'œil allumé.*

Mais c'est très intéressant, cela! Je ne savais rien de ces goûts ancillaires... Décidément, on en apprend tous les jours sur notre ami!

CARLOTTA *grommelle.*

J'en aurais bien d'autres à dire, sur Antoine — mais pas à vous, Cravatar. Cela vous ferait trop de plaisir.

CRAVATAR, *aimable.*

Boh! Nous sommes entre vieux Parisiens, grande amie... Et, sous leur conformisme de bon ton, j'avoue que le comportement sexuel de mes contemporains m'a toujours prodigieusement intéressé. On va généralement de surprise en surprise, quand on soulève le coin du voile. J'imaginais, certes, notre ami vigoureux — il l'a abondamment prouvé! — mais au fond, sur ce chapitre, assez sommaire. Homme de vices, notre bel Antoine, homme de complications?

CARLOTTA, *superbe.*

Je ne sais pas ce que vous appelez des vices, Cravatar, moi je ne connais que des goûts! Et le plaisir est toujours compliqué. Ne serait-ce que parce qu'il faut être deux.

MARCELLIN

Ce que vous nous dites, grande amie, nous donne, au fond, une clef d'Antoine. Sa vie sentimentale un peu tumultueuse ne reflète-t-elle pas tout simplement son profond désir — toujours déçu sans doute — d'être deux? Antoine était seul et, chaque fois qu'il changeait de compagne, il espérait n'être plus seul. Quand il s'est séparé de cette dernière jeune femme — dans des circonstances que nous ne saurons probablement jamais — il s'est retrouvé, vieilli, usé, dans sa solitude d'enfant. Et il n'a sans doute pas pu la supporter.

CRAVATAR, *avec une curiosité un peu malsaine.*

Marcellin, vous étiez son ami, son intime... Qu'a été au juste cette fille pour lui? Vous pouvez nous le dire maintenant! Nous n'avons fait que l'entrevoir ce matin. Elle s'est escamotée dans les étages... Elle est belle, oui, mais elle a l'air d'une paysanne. Et rien, dans son aspect, ne me paraît justifier...

MARCELLIN

Je n'ai jamais revu Antoine depuis sa retraite en Allemagne. Quelques lettres pour des commissions à Paris, où il ne parlait guère d'elle, son nom cité seulement comme si cela allait de soi. Et à vous, Piedelièvre?

PIEDELIEVRE

Tout ce que j'ai pu savoir sur elle, c'est vous qui me l'avez appris, mon bon. C'est même vous qui m'en avez appris l'existence.

CRAVATAR, *frétillant.*

N'y a-t-il pas là comme un secret qu'il serait intéressant de percer, puisqu'en somme nous étions ses amis et que tout ce qui touche Antoine nous touche... J'avoue que son brusque isolement — alors que hors les périodes de création il était le plus Parisien d'entre nous — m'a toujours paru très curieux. Pas à vous?

MARCELLIN

Seul ce notaire doit savoir. Mais il se garde d'en montrer rien. C'est un homme cadenassé. Avec un cadenas de marque allemande — qui doit tenir.

Entrent emmitouflées et couvertes de neige, Estelle et Valérie que suit le notaire.

VALÉRIE

Vous avez eu tort de ne pas vouloir pousser plus loin, Carlotta! Le village est très beau, nous l'avons aperçu du bout de la route. Et il y a une petite fourmilière courageuse sur l'avalanche, qui a déjà fait la moitié du travail.

LE NOTAIRE

Monsieur de Saint-Flour aimait beaucoup ce village. Il y a séjourné deux semaines, dans la maison de sa vieille domestique, avant de songer à acheter le château.

ESTELLE *demande soudain.*

Parce qu'il est d'abord venu seul, ici?

LE NOTAIRE

Oui, madame. Monsieur de Saint-Flour est arrivé un soir, seul, chez Frida, qu'il n'avait pas revue depuis son enfance, venant directement de Paris. Naturellement, dans cette masure paysanne, il n'était pas question pour lui de trouver le confort auquel il était habitué, ni d'y reprendre ses habitudes de travail... C'est alors, au bout de quelques jours, qu'il m'a rendu visite, dans mon étude, et que j'ai eu l'honneur de faire sa connaissance. Il m'a dit son désir de se fixer dans notre région, et il m'a demandé si le château, fermé depuis longtemps, était à vendre. J'ai écrit, sans grand espoir, aux propriétaires, car je savais que c'était un bien de famille — mais, contre mon attente, des difficultés successorales ont fait qu'ils se sont décidés à accepter l'offre — d'ailleurs considérable — de Monsieur de Saint-Flour.

ESTELLE

Et il est monté seul ici?

LE NOTAIRE, *un peu raide.*

Après quelques travaux d'installation, seul avec Frida, madame, qu'il avait reprise à son service.

Il y a un silence. Tout le monde voudrait poser une question, mais personne ne la pose. Finalement, Estelle se décide, un peu sèche, un peu désagréable, comme toujours.

ESTELLE

Vous n'êtes en aucune façon obligé de me

répondre, monsieur, mais je pense qu'après la lecture du testament de mon mari, bien des choses ne sont plus que ce que nous appelons chez nous un secret de Polichinelle. Quand cette jeune personne est-elle venue habiter ici?

LE NOTAIRE, *après une hésitation.*

Quelques mois plus tard, madame. Frida qui se trouvait un peu âgée pour assumer seule la charge de cette grande maison a demandé à sa nièce, alors Mademoiselle Werner, de bien vouloir l'aider à la tenir. *(Il y a un silence. Il ajoute, raide :)* A ce propos, je dois vous dire que Madame Staufenbach, dont la présence ici n'était plus nécessaire, a emprunté des raquettes à la ferme, pour tenter de contourner l'avalanche par les hauts. Elle connaît bien le pays; elle sera en fin d'après-midi au village — où elle aura la poste demain, à la première heure, pour Munich.

ESTELLE, *aigre, après un temps.*

Elle me prive d'un grand plaisir. En somme, elle est seulement revenue chercher celles de ses affaires qu'elle n'avait pas pu emporter la dernière fois. Ou un petit souvenir de son aventure peut-être?

Le notaire s'est glacé. Il y a un silence désapprobateur à ces mots. Seul Cravatar ricane, dans le fond, où il marche toujours. Valérie soupire, navrée.

VALÉRIE

Estelle, je sais bien que vous valez mieux que ce que le dépit vous faire dire... mais tout le monde ne le sait pas ici. Un vol de petites cuillères maintenant! On croirait entendre madame votre mère...

LE NOTAIRE, *raide.*

Je vous prie de m'excuser. Je me suis improvisé « maîtresse de maison » comme je crois que vous dites en Français, et je dois donner des ordres pour le dîner.

Il s'incline, impénétrable, et sort.

CARLOTTA *grommelle, quand il est sorti.*

Le cadenas allemand s'est refermé, nous n'en tirerons pas davantage. C'est étrange, cet homme m'attire et me déplaît. Il doit nous cacher quelque chose... Vous ne trouvez pas qu'il ressemble à Bismarck?

ESTELLE *éclate soudain.*

Une bonne. Une bonne! Finalement, Antoine m'a quittée pour une bonne! Il a été finir sa vie, avec une bonne!

VALÉRIE, *doucement.*

Pas de mots excessifs, Estelle. Cette jeune fille était la nièce de la vieille Frida. C'est tout ce que nous savons d'elle.

CARLOTTA, *soudain, rude.*

Et puis qu'est-ce que cela peut bien vous faire, ma petite Estelle, ce que cette fille a été au juste? Antoine est mort, elle l'a quitté et elle s'est mariée. La pièce est jouée. De toute façon, vous pouvez nous la faire à nous — on vous écoutera peut-être poliment, même si cela nous emmarde — mais vous ne pouvez plus la faire à Antoine, cette scène — alors? *(Un petit temps, elle ajoute plus sourdement.)* On le sait qu'on est tous des monstres; on le sait qu'on n'a tous fait que de l'à-peu-près! Mais on est dans le même wagon et il y en a un qui descend à chaque station. Alors on n'a plus qu'à se partager les derniers sandwiches et à parler du paysage, pour ne pas trop penser au terminus. On se doit un peu d'indulgence — sur la fin. Il faut se foutre un peu la paix... Les vieilles amours, les vieilles souffrances... *(Elle se frotte.)* On a déjà assez à faire avec son genou.

ESTELLE, *dure.*

Parlez pour vous, Carlotta. Moi, je n'ai pas encore atteint votre grand âge. Moi, j'attends encore de vivre!

CARLOTTA *éclate soudain.*

Hé bien, vivez, bon Dieu, si vous en êtes capable! Vous verrez que ce n'est pas, non plus, ce qu'on croit. Et cela vous rendra peut-être plus indulgente... Les gants de la vertu, c'est bien, mais tant qu'on ne s'est pas mis les mains dans la marde, comme les autres, on n'a pas le droit de les juger de si haut. Vivez! Ce n'est pas si commode, vous verrez. Les bonnes intentions, tout le monde en a — mais on peut peu.

Un silence gêné suit cette incartade. Marcellin, à mi-voix, répète absurdement.

MARCELLIN

On peut peu, on peut peu. *(Un silence, il conclut.)* En tout cas, nous sommes là pour penser à Antoine, qui n'a peut-être pas été un homme aussi heureux que nous l'avons cru.

ESTELLE *hausse les épaules.*

Nous ne parlons que d'Antoine! Mais qui a été heureux, ici? Personne n'est heureux!

MARCELLIN *continue.*

Je suis, en qualité de médecin, beaucoup plus sceptique que Piedelièvre, sur le bien-fondé des théories nouvelles de ce Monsieur Freud... Mais tout de même, une chose me trouble. Pourquoi un jour d'hiver, il y a un peu plus de trois ans, Antoine, sans rien dire à personne, a-t-il senti le besoin de s'en venir retrouver au fond de l'Allemagne la vieille bonne qu'il avait eue enfant? Pourquoi s'est-il soudain effacé sans qu'aucun de nous ne l'ait revu?

ESTELLE, *sèche.*

Il est revenu plusieurs fois à Paris voir ses enfants, en cachette.

MARCELLIN

Ses enfants seuls.

PIEDELIEVRE

Il y a trois ans, c'était l'époque de sa « Dame Blanche », il venait d'avoir un très grand succès, sa renommée d'homme de théâtre était à son apogée à Paris, il était fêté, semblait heureux; il nous voyait tous alors, très souvent... Les choses semblaient même s'être un peu remises entre vous, n'est-ce pas, Estelle?

MARCELLIN

Et puis, brusquement, une décision prise dans l'après-midi — et la trappe! jusqu'à la fin. Qu'est-ce que nous avons bien pu lui faire, pour qu'il ait eu ce besoin impérieux de nous fuir?

CARLOTTA *grommelle sourdement, comme endormie dans son grand fauteuil sur sa canne.*

Il ne faut pas chercher, Marcellin, il ne faut pas chercher. La vie est trop courte. A force de chercher on finit par trouver et c'est toujours abominable.

Il y a un silence, tous les personnages rêvent en silence, seul Cravatar fait lentement les cent pas dans le fond du décor. Le rythme de la scène change, l'éclairage se modifie peu à peu pendant que Marcellin commence à évoquer cette soirée d'il y a trois ans à Paris.

MARCELLIN

Cela me revient maintenant... La veille même de son départ, nous avions eu un petit souper intime chez lui pour fêter à la fois — c'était bien une idée de lui! — la cinquantième de sa pièce et aussi son anniversaire, car il avait eu cinquante ans, ce jour-là.

Je nous revois... C'est étrange, nous étions assis avec lui après souper, ou causant debout dans le salon, à peu près comme nous sommes là, ce soir...

Cravatar marchait au fond de la pièce, Estelle et Valérie étaient côte à côte un peu en retrait, Carlotta sur le canapé, moi je finissais un cigare en bavardant avec Piedelièvre, comme aujourd'hui... Il ne manque, en somme, qu'Anémone...

Non, d'ailleurs, elle n'était pas encore là, à la minute où je revois la scène... Elle était sortie faire un tour dans le jardin, avec son flirt de l'époque qu'elle vous avait demandé au dernier moment d'amener — vous vous souvenez, Valérie? — vous lui aviez même fait une petite scène comique sur la liberté de ses mœurs de jeune fille...

A un moment, elle est rentrée du jardin avec ce jeune homme, toute rose du froid de la nuit, elle est entrée dans un silence, un ange venait de passer, et elle nous a dit, je m'en souviens parfaitement : « Il fait un froid divin! » Antoine était silencieux, debout derrière un grand fauteuil, un verre à demi vide à la main, il ne semblait pas nous voir... Je me le rappelle très bien — c'est la dernière image que j'aie gardée de lui...

Pendant qu'il parlait, le décor, par un artifice d'éclairage, s'est brouillé. C'est un lieu neutre où il n'y a plus que les meubles et les personnages qui comptent. Antoine, surgi mystérieusement des lourds rideaux d'une fenêtre, est debout, à demi appuyé au haut dossier d'un fauteuil, comme Marcellin l'a décrit. Anémone entre au fond suivie d'Alexandre, tous deux couverts de neige. La scène bizarre va être jouée par tous comme d'un peu loin au début, puis elle prendra de la réalité.

ANÉMONE

Il fait un froid divin! Nous avons fait une promenade *merveilleuse!*

VALÉRIE

Anémone, tu vas finir par prendre froid!

ANÉMONE

On ne peut pas prendre froid avec Alexis. C'est un garçon qui s'y entend *merveilleusement* pour vous réchauffer!

VALÉRIE

Anémone, outre l'emploi abusif du mot « merveilleux » et de l'adverbe correspondant qui, je le sais, sont à la mode cette année, je t'ai mille fois demandé de nous éviter le récit de tes prétendues débauches. Je connais Alexis, c'est un garçon trop bien élevé pour t'avoir réchauffée autrement qu'en paroles. N'est-ce pas, Alexis?

ANÉMONE *s'est retournée vers le jeune homme un peu confus.*

Ne rougissez pas, Alexis! Il faut répondre : « Bien, maman. Je vous prie de m'excuser, maman. Je ne le ferai plus, maman. » C'est un jeu *merveilleux* qu'ont inventé les parents et dont la règle est toute simple. Une jeune fille de seize ans n'a jamais été touchée par personne, n'a jamais eu envie d'être touchée par personne, et ne sera jamais touchée par personne — jusqu'au mari, choisi par ses parents, qui aura le droit, après une longue cérémonie civile et religieuse et un interminable repas dégoûtant, de la mettre toute nue dans un lit et de lui faire tout ce qu'il voudra! C'est *merveilleusement* simple, n'est-ce pas, Antoine? Vous me l'avez expliqué un jour.

ESTELLE, *agacée.*

Je trouve votre fille impossible, Valérie!

VALÉRIE, *calme.*

Ma petite Anémone, je suis une *merveilleuse* mère moderne, mais il y a des gifles *merveilleusement* modernes, également. Tu en mériterais une. C'est par respect pour nos hôtes que je te l'évite.

ANÉMONE, *agressive.*

Par respect pour Estelle, que la main démange dès qu'elle m'aperçoit? Par respect pour Antoine? Regardez-le, il meurt d'envie de me la donner lui-même! Il est pâle de rage. *(Elle s'est plantée devant lui.)* Allez, Antoine! Giflez-moi! Giflez-moi!

VALÉRIE

Assez maintenant, Anémone! Qu'a à faire Antoine dans tout cela?

ANÉMONE

Il le sait bien. Vous ne voulez pas me gifler, Antoine? Bon. Je me gifle toute seule. *(Elle se gifle deux fois, puis tourne les talons et va au piano au fond du salon où elle commencera à jouer un rag-time insolite, avec un doigt.)*

VALÉRIE

Antoine, vous auriez dû la gifler puisqu'elle

vous reconnaissait ce droit. Ou, du moins, lui dire quelque chose.

ANTOINE

J'ai cinquante ans aujourd'hui. Je n'ai plus le droit de rien dire aux jeunes filles.

VALÉRIE

Même à une gamine insolente dont vous pourriez être le père?

ESTELLE, *insidieuse.*

Si Antoine avait été son père, Valérie, croyez qu'Anémone ne lui aurait pas fait une scène aussi *merveilleusement* (pour parler comme elle) provocante! Je vous conseille de les surveiller, chez vous. Ils ont le même âge, ces deux gamins!

VALÉRIE

Ce que vous dites est absurde, Estelle!

Un ange passe. Marcellin s'est rapproché.

MARCELLIN

Tu es extraordinaire, mon vieux, avec tes cinquante ans! Qu'est-ce que je dirais, moi, qui en ai cinquante et un? Qu'est-ce qui te taquine tellement dans ce chiffre?

ANTOINE

Le cinq.

MARCELLIN

Mais c'est la jeunesse, mon cher! Tu entres dans ta grande forme. Tu vas nous donner tes vrais chefs-d'œuvre...

ANTOINE

Tu crois? A cet âge Shakespeare et Molière étaient sur le point de mourir, et Racine avait renoncé depuis longtemps. Je me demande s'il n'y a pas un peu d'outrecuidance à vouloir continuer.

MARCELLIN

Balivernes! De leur temps, il n'y avait ni hygiène ni médecine, et tu te portes comme le Pont-Neuf! Tu n'es dans le cas ni de Shakespeare ni de Molière!

ANTOINE

Je ne te le fais pas dire!

Il y a des petits rires à la réplique d'Antoine, dont celui, plus grinçant, au fond, de Cravatar.

MARCELLIN, *vexé.*

Tu as le champagne triste, mon cher, voilà tout. Et moi, je l'ai gai. Je bois à tes succès et à tes amours!

Un ange passe.

ESTELLE, *sèche.*

C'est un continuel passage d'anges, ce soir. A l'approche de l'hiver, ils doivent regagner par bandes de meilleurs climats. Marcellin a toujours le mot exact qu'il ne faut pas dire.

MARCELLIN, *vexé.*

C'est bon, je me tais! Mais comme il n'y a que moi qui parle... Vous faites tous des têtes de bonnet de nuit! *(Il s'exclame absurdement.)* Après tout, c'est gai, un anniversaire!

ANTOINE, *absent.*

Pas le mien. Pas cette année.

VALÉRIE, *riant.*

A cause du cinq? Mais vous l'avez déjà rencontré cinq fois, ce chiffre!

ANTOINE

Il se faisait modeste. Cette année, il s'est mis devant.

VALÉRIE, *riant toujours.*

Et moi qui n'ai même pas pensé à votre cadeau! Qu'est-ce qui vous ferait plaisir pour votre anniversaire, Antoine?

ANTOINE, *sombre.*

Un an de moins.

Il s'est levé et s'en va regarder en silence Anémone qui joue doucement du piano au fond.

ESTELLE, *avec un petit rire aigre aux autres.*

C'est une obsession! Il en est malade, depuis ce matin. Et ce qu'il y a de curieux chez lui, c'est qu'hier, il n'y pensait pas. Les enfants ont été très drôles. Ils lui ont apporté à son réveil une grande barbe blanche, qu'ils avaient faite eux-mêmes en coton hydrophile, une canne d'infirme et cinquante boîtes de pastilles pour la toux!

MARCELLIN

Et il n'a pas ri?

ESTELLE

Si, beaucoup. Il s'est mis la barbe et il a boité, toussé et sucé des pastilles jusqu'à midi en pyjama avec eux, jouant les vieillards gâteux. Sur la fin, ils se sont battus à coups d'oreillers qu'ils ont crevés, inondant la chambre de plumes, et poursuivis avec le jet de la douche. Résultat, ma femme de chambre m'a donné son congé. Cela a été mon cadeau d'anniversaire à moi! Ah, il me tarde qu'il grandisse un peu!

CRAVATAR

Vous êtes drôle, Estelle!

ESTELLE, *un peu pincée.*

Toujours. Il ne me reste plus qu'à être drôle. Car je vous jure bien qu'Antoine, lui, ne rend jamais les choses drôles!

CRAVATAR, *perfide.*

Vous m'étonnez beaucoup! A propos de sa « Dame Blanche » — que moi j'avoue ne pas avoir beaucoup aimée — certains de mes confrères, bien intentionnés, ont écrit qu'il était notre Molière!

ESTELLE

Alors, je plains Armande! Cela ne devait pas être gai tous les jours à la maison.

CRAVATAR, *insidieux.*

Non. Mais remarquez qu'elle s'en est vengée. Ce qui nous a d'ailleurs valu deux chefs-d'œuvre. *(Il ajoute.)* Vous devriez peut-être essayer, ne serait-ce que pour la carrière d'Antoine! On ne sait jamais!

PIEDELIEVRE, *très professeur.*

Vous savez qu'on en est bien revenu, dans les milieux autorisés, de cette prétendue perméabilité de l'œuvre et de la vie privée, chez Molière... J'ai l'habitude de clouer le bec à mes étudiants en leur faisant remarquer que « l'École des femmes » par exemple a été écrite tout de suite après le mariage avec Armande, dans une période de bonheur.

ANTOINE, *qui a entendu et revient.*

Ce que les professeurs, qui savent tout, ne sauront jamais, Piedelièvre, malgré toutes leurs nuits blanches, ce sont les secrets de la création. Moi qui suis du même métier que Molière — toutes proportions gardées — je puis vous le dire : on écrit toujours ce qui va se passer et on le vit ensuite. C'est dans la joie fragile de sa lune de miel que Molière a vécu la première trahison d'Armande.

PIEDELIEVRE, *un peu vexé.*

Alors c'est tout simple! Raconte-nous ta prochaine pièce que nous sachions ce qui va se passer!

ANTOINE

J'en ai trouvé le sujet ce matin, en me réveillant quinquagénaire... Un homme vient de mourir — n'ayant pas très bien vécu, n'ayant pas donné beaucoup et n'ayant pas reçu beaucoup non plus — étant passé en somme, peut-être par sa faute, à côté de l'amitié et de l'amour. Le jour de l'enterrement, tous les personnages de sa vie se retrouvent, après le cimetière, pour le petit repas traditionnel dans sa maison — ce sont des mœurs de campagne, mais admettons qu'il soit mort à la campagne. Et ils font un bilan, de lui et d'eux. C'est tout. Mais ce sera assez comique.

CRAVATAR

Et il n'y aura pas d'action?

ANTOINE

Non, forcément. Elle est si j'ose dire éteinte dès le lever du rideau.

CARLOTTA *grogne.*

Ce sera sinistre, mon cher! Il faut toujours que cela bouge au théâtre! Non. Non. Il faut nous faire une pièce héroïque, avec de grands sentiments, bien français! Voyez le succès de « l'Aiglon », si cet imbécile de Rostand n'avait pas confié le rôle à un vieux monstre comme Sarah!

CRAVATAR

En somme, si je te suis bien, une sorte de pièce russe, comme on essaie de nous en vendre en ce moment? Vous y croyez, vous, à l'atmosphère? Le théâtre français a le pas vif; chez nous, on n'aime pas que cela piétine... Et cette prétention nouvelle de faire des scènes avec des banalités...

ANTOINE, *doucement.*

Ne fais pas déjà ton article, Cravatar : la pièce n'est pas encore écrite... Il pourrait y avoir un certain nombre de choses drôles et quelques inventions de théâtre, un peu gratuites comme j'ai la faiblesse de les aimer...

MARCELLIN

Et elle s'appellerait comment, ta pièce?

ANTOINE

« Cher Antoine ou l'Amour raté. »

CARLOTTA *grommelle.*

Mauvais titre.

Il y a un silence gêné.

ESTELLE, *doucement.*

Encore un ange... Il nous faudrait une carabine. Cela me ferait plaisir d'en descendre un, une fois. Pour voir au juste comment c'est fait, ces petites bêtes-là.

CRAVATAR, *dur.*

C'est inutile, Estelle. *Vous* êtes un ange. Un ange trop patient.

ANTOINE *va à lui, brutal soudain.*

On peut savoir ce que tu veux dire, Cravatar?

CRAVATAR, *brutal aussi.*

Je veux dire que tu es odieux avec Estelle! Et que cela nous agace tous, quelquefois.

Il y a un assez long silence tendu, on se demande si les deux hommes vont se gifler, puis Antoine rompt.

ANTOINE, *soudain, léger.*

Tu dois avoir raison. Je suis irritable, inutilement amer — et un peu mufle. Et mes plaisanteries seront toujours des plaisanteries de garçon de bains! Mais que veux-tu? Depuis ce matin, je me fais vieux.

Il est retourné près du piano au fond où Anémone, l'air absent, joue toujours doucement. Estelle s'est levée et elle s'est mise à servir le café qu'un domestique a apporté en silence. On entend vaguement des mots : « Vous prenez du sucre? Merci, deux! Seulement une demi-tasse ou je ne dors plus. Comment faites-vous pour avoir une cuisinière qui fait encore du bon café? Il n'y a plus de bon café à Paris. » Mais ce sont des paroles de songe, furtives, étouffées; on ne doit plus voir qu'Antoine et Anémone au fond.

ANÉMONE *a cessé de jouer,*
elle le regarde et dit.

Je suis une idiote, n'est-ce pas?

ANTOINE, *doucement.*

Non. Tu es ce qu'on rêve toujours de connaître. Tu es l'illusion de l'amour. Mais tu as seize ans : c'est comme si je me mettais à aimer la forme d'un nuage, au bord de la mer, un jour de grand vent...

Anémone ne répond pas et se remet à jouer doucement. Le décor peu à peu s'éclaire autrement, on va se retrouver en Bavière, Antoine qui peut rester là, son verre à la main, accoudé au piano, est comme effacé. Quand la lumière est redevenue normale, Marcellin conclut :

MARCELLIN

Nous avons continué à bavarder de choses et d'autres jusqu'au moment de nous séparer. Lui ne disait rien, il nous écoutait du fond, son verre à la main, comme absent déjà. J'ai l'impression qu'il nous avait posé une question, ce soir-là, une question à laquelle aucun d'entre nous n'a su répondre...

Un silence. Carlotta grommelle.

CARLOTTA

Quelle question?

MARCELLIN

Peut-être la question que Mozart, qui n'avait pas grandi lui non plus, posait, paraît-il, à tout le monde... M'aimez-vous?

Un silence immobile encore, il n'y a que Cravatar qui marche toujours au fond de la pièce. Le chien se met à hurler. Le rideau tombe doucement.

FIN DU DEUXIÈME ACTE

TROISIÈME ACTE

Frida introduit les personnages, encombrés de plaids et de valises, dans des costumes de voyage un peu voyants. Ils ont chaud, c'est l'été. Ils sont les mêmes et pourtant on ne comprendra pas tout de suite pourquoi ils sont différents. Frida leur dit quelque chose en allemand et elle sort.

LA COMÉDIENNE CARLOTTA

Qu'est-ce qu'elle dit?

LE COMÉDIEN MARCELLIN

Elle va l'avertir que nous sommes arrivés.

LE COMÉDIEN PIEDELIEVRE, *prenant possession de la pièce comme un grand premier rôle d'un plateau.*

Ce n'est pas pour me vanter, mais il fait rudement chaud! La Bavière en été, c'est l'Afrique! Il a fallu que ce soit lui, pour que j'accepte. Un cacheton à mille kilomètres de Paris pour un homme de ma situation — avouez que ce n'est pas ordinaire!

LA COMÉDIENNE CARLOTTA

Mais bien payé!

LE COMÉDIEN PIEDELIEVRE *hausse les épaules.*

On n'est jamais bien payé!

LA COMÉDIENNE CARLOTTA

Et il fera peut-être reprendre la pièce à Paris!

LE COMÉDIEN PIEDELIEVRE

Celle-là? Cela m'étonnerait! Vous l'avez lue dans le train, ma bonne amie? C'est dément! Je ne sais vraiment pas ce qui lui a pris d'écrire une fadaise pareille! Où est l'auteur de « la Dame Blanche »? Je comprends maintenant son silence. C'est un homme vidé, voilà tout!

LA COMÉDIENNE CARLOTTA

Il y a un ton.

LE COMÉDIEN PIEDELIEVRE, *chantonnant.*

Ton! Ton! Ton! Ton! Nous allons nous couvrir de ridicule, tout bonnement, ma bonne amie. Heureusement que la presse ne sera pas là. Il m'a laissé entendre dans sa lettre que c'était une représentation privée. C'est d'ailleurs pour cela que j'ai accepté. *(Au comédien Cravatar.)* Qu'est-ce qu'il vous a distribué, mon cher?

LE COMÉDIEN CRAVATAR

Le médecin.

LE COMÉDIEN PIEDELIEVRE

Ah, oui. L'ami trop léger. C'est un assez joli rôle. Vous avez deux ou trois mots d'auteur.

LE COMÉDIEN CRAVATAR, *ironique.*

Presque moliéresques!

LE COMÉDIEN PIEDELIEVRE, *même jeu.*

Oui! Disons que c'est du mauvais Labiche. Mais cela portera. *(Il demande au comédien Marcellin.)* Et toi, Grandmont, qu'est-ce qu'il t'a donné?

LE COMÉDIEN MARCELLIN

Le critique.

LE COMÉDIEN PIEDELIEVRE, *un peu étonné.*

Tiens! Moi je t'aurais plutôt vu dans le médecin! C'est un rôle délicat.

LE COMÉDIEN MARCELLIN

A l'emporte-pièce. Il y avait autre chose à dire, là-dessus. Il n'a pas été jusqu'au bout.

LE COMÉDIEN PIEDELIEVRE

Mets-toi à sa place : c'était un suicide!

LA COMÉDIENNE ANÉMONE

Moi je n'y comprends rien à son rôle de

jeune première! Elle est vierge, vierge, vierge comme on ne l'est plus.

LE COMÉDIEN PIEDELIEVRE, *paternel*.

Ne t'effraie pas. Tu es comédienne, mon petit chou, tu dois pouvoir nous rendre ça!

LA COMÉDIENNE ANÉMONE, *pincée*.

Ça ne sera pas la première pucelle que je joue, mais, alors, pourquoi lui faire dire toutes ces horreurs?

LE COMÉDIEN PIEDELIEVRE

C'est la nouvelle vague. Voyez Bernstein et consorts. La mode est à la brutalité. C'est beau, l'audace, mais où est-ce qu'ils vont le conduire, le théâtre, je vous le demande? D'ailleurs ils ont des petits amis qui font mousser tout cela dans une certaine presse, mais le vrai public ne suit pas. Vive Rostand! Cela m'étonne d'ailleurs qu'un vieux routier comme Saint-Flour en soit réduit à tomber dans le panneau.

LE COMÉDIEN MARCELLIN

C'est une représentation privée. Une pièce de salon, en somme. Il s'est amusé, voilà tout.

LE COMÉDIEN PIEDELIEVRE *soupire*.

Espérons qu'il amusera les autres! Moi je m'en moque : je vends ma salade — mais avec les défraiements, cela va lui coûter gros, son petit jeu !

LA COMÉDIENNE CARLOTTA

La comédie chez soi, avouez que c'est très grand siècle ! Antoine a toujours été un seigneur. Vous vous rappelez la centième du « Piège », dans les jardins du Ritz ? Quelle réussite !

LE COMÉDIEN PIEDELIEVRE

Boh ! La centième, en claquant de l'argent, c'est ce qu'on réussit le plus facilement, au théâtre... C'est la première qui est dure ! *(Il avise une petite scène improvisée dans un coin du hall.)* Dites-moi, c'est ça le plateau ? Cela va être bougrement étriqué, sa mise en scène.

Il va vers la comédienne Gabrielle qui s'est mise à tricoter dans un coin avec la comédienne Valérie.

LA COMÉDIENNE GABRIELLE

Le point japonais, c'est deux mailles à l'endroit et trois mailles à l'envers, mais cela se complique beaucoup si on veut le faire en torsades...

LA COMÉDIENNE VALÉRIE

Il faudra me l'écrire sur un petit papier et je vous donnerai ma recette de la tarte au bœuf, en échange...

LE COMÉDIEN PIEDELIEVRE

Vous y êtes déjà, à votre tricot et à vos recettes, toutes les deux? Le métier de comédien se perd! De mon temps les hommes volaient les poules à l'étape et les femmes cherchaient le richard qui leur paierait leur note d'auberge... Ah! J'aurais voulu vivre au XVIIe! *(Il ajoute.)* Il est vrai qu'on ne m'aurait pas donné la Légion d'honneur.

LA COMÉDIENNE GABRIELLE

Mon gros, si on ne tricotait pas, au théâtre, on aurait vraiment l'impression de perdre son temps. Il y a tellement de trous!

LE COMÉDIEN PIEDELIEVRE

En fait de trou, tu ferais mieux d'apprendre ton texte, mon bijou! Tu te souviens, à Montélimar, quand tu m'as laissé en plan dans « l'Arlésienne »?

LA COMÉDIENNE GABRIELLE

Je le sais au rasoir.

LE COMÉDIEN PIEDELIEVRE *soupire.*

Tu as de la chance! Moi, je trouve ça tellement bête que cela ne veut pas entrer. Bah! j'en ai joué d'autres, des âneries...

Antoine vient d'entrer dans une très belle robe de chambre à ramages qui lui donne l'air d'un samouraï; il se précipite à sa rencontre, transformé.

Ah! Mon cher maître! Quelle joie de vous retrouver!

ANTOINE

Ravi de vous revoir, Grossac! Monsieur l'Administrateur n'a pas été trop méchant pour votre congé?

LE COMÉDIEN PIEDELIEVRE

Pour vous, maître, on obtient tout, même à la Comédie-Française! N'oubliez pas qu'ils attendent toujours une pièce de vous!

ANTOINE, *qui serre les mains.*

Ravi de vous voir, tous... Vous sentez bon Paris.

LA COMÉDIENNE CARLOTTA

Nous l'avons quitté hier soir...

ANTOINE

Je le respire autour de vous. *(Il les tient affectueusement autour de lui et s'écrie.)* Ah! qu'on est bien dans des coulisses, entouré de comédiens! Croyez-moi, il n'y a que là qu'il se passe quelque chose... Quand on met le pied dehors, c'est le désert — et le désordre. La vie est décidément irréelle. D'abord, elle n'a pas de forme : personne n'est sûr de son texte et tout le monde rate toujours son entrée. Il ne faudrait jamais sortir des théâtres ! Ce sont les seuls lieux au monde où l'aventure humaine est au point.

Il les tient, les regarde encore amicalement autour de lui.

J'espère que nous allons bien nous amuser ! Vous savez vos rôles ? *(Il y a un murmure peu convaincu, il rit.)* Non, bien sûr ! Heureusement d'ailleurs ! Vous savez que j'ai horreur de ça. Quand on les sait, on les serine. Il faut apprendre en répétant.

LE COMÉDIEN CRAVATAR, *amer.*

Moi je sais le mien ! Il est si court.

ANTOINE *sourit.*

Oui, mais c'est un médecin ! Et les curés et les médecins au théâtre, je ne l'apprends pas à un vieux renard comme vous, c'est eux qui ramassent toujours tout !

LE COMÉDIEN CRAVATAR

Encore faut-il qu'ils ouvrent la bouche !

ANTOINE

Ne soyez pas amer ! Je vous rajouterai quelques répliques à l'avant-scène. *(Au comédien Marcellin.)* Il vous a plu, le rôle du critique ?

LE COMÉDIEN MARCELLIN

Intéressant. Mais c'est osé.

ANTOINE

Il faut oser, nous aussi. Ils osent bien, eux, dans leurs journaux!

LE COMÉDIEN MARCELLIN

Vous ne croyez pas que c'est un peu fort de l'avoir mis du « Gaulois »?

ANTOINE

Je ne pouvais tout de même pas le mettre du « Figaro ». C'est un journal d'anarchistes. Le « Gaulois », cela fait plus sérieux. Et puis, rassurez-vous, le vrai ne sera pas dans la salle. Nos petites méchancetés resteront entre nous. Vous verrez, la pièce n'est rien, un prétexte, d'un ton un peu baroque. En fait, ce sont les personnages qui m'ont amusé. Et je crois les avoir assez bien choisis... *(Il les regarde tous amusé et murmure.)* Je vous avouerai que c'est même hallucinant! Plus on va au théâtre, plus on s'aperçoit que tout est dans la distribution. L'essentiel est de choisir des comédiens qui ont l'aura du personnage.

LA COMÉDIENNE CARLOTTA *minaude.*

Vous trouvez que j'ai l'aura? Je sais qu'on peut toujours composer, mais vous m'avez distribué une vieille peau, mon cher maître!

ANTOINE, *gentiment.*

Vous exagérez. Une grande tragédienne, avec un certain pittoresque, voilà tout.

LA COMÉDIENNE CARLOTTA

On dit qu'elle a cent ans, dans la pièce!

ANTOINE *sourit.*

On exagère un peu.

LA COMÉDIENNE CARLOTTA

Elle est cynique! Elle est odieuse!

ANTOINE

Elle est vraie! Elle vise bas, donc, elle vise juste. Vous dirai-je que sous son outrance, c'est à elle que je trouve du bon sens? En fait, si on veut chercher vraiment les sources — la vieille comédienne : c'est moi!

LE COMÉDIEN PIEDELIEVRE *demande, important.*

Mais dites-moi, maître, sans indiscrétion, c'est un peu autobiographique, votre pièce?

ANTOINE *éclate de rire.*

Quelle idée! Vous voyez bien que je ne suis pas mort!

LE COMÉDIEN PIEDELIEVRE

Mais le titre « Cher Antoine ou l'Amour raté »?

ANTOINE

Un titre, voilà tout! Tout est purement imaginaire, mon cher!

LA COMÉDIENNE ESTELLE *s'avance.*

Mais qui est Geneviève? J'avoue que son personnage à travers le texte ne m'est pas apparu très clairement...

ANTOINE

Je vais vous expliquer. Geneviève est une jeune femme insatisfaite... Voilà la vraie clef du personnage.

LA COMÉDIENNE ESTELLE

Elle a aimé Antoine?

ANTOINE

Certainement.

LA COMÉDIENNE ESTELLE

Elle devrait avoir de la peine. Vous lui mettez des répliques terribles.

ANTOINE

Elle a de la peine, et des répliques terribles. Ce qui n'est pas absolument contradictoire.

LA COMÉDIENNE ESTELLE

Quand Antoine l'a trompée, elle a eu de la peine?

ANTOINE

Sans doute, mais il faut être très bon chimiste pour analyser une peine d'amour. Et on l'est rarement, pour soi. Ce sont les autres, qui ont de meilleurs yeux, qui voient les traces de dépit ou le dépôt noir de l'orgueil au fond d'une éprouvette de larmes.

LA COMÉDIENNE CARLOTTA

En somme, maître, vous ne croyez pas aux larmes?

ANTOINE

Pas beaucoup. Ni à la pureté des peines. Quelle que soit l'horreur du drame, on pleure toujours un peu sur soi. D'ailleurs un moment j'avais pensé appeler ma pièce : « Je vous remercie. Ma veuve va bien. »

LA COMÉDIENNE CARLOTTA *s'exclame, mutine.*

Vous êtes affreux, maître! Si vous pensez tout cela, vous devez être le plus malheureux des hommes!

ANTOINE, *léger.*

Je suis le plus malheureux des hommes, madame, mais aussi celui qui prend son malheur le mieux : j'ai reçu du ciel le don d'en faire rire.

Frida et une sorte de petit valet paysan sont entrés et commencent à prendre les bagages.

ANTOINE *enchaîne.*

Ah! on va vous montrer vos chambres. Elles sont un peu rustiques, vous verrez, mais fraîches et très agréables... Ma vieille Frida qui m'a pourtant élevé, ne parle plus le français depuis quarante ans, et le petit non plus. Expliquez-vous par signes. Il y avait autrefois ici, pour tenir la maison, une jeune fille qui parlait très bien le français, malheureusement elle est partie et nous allons devoir nous débrouiller sans elle. Je vous demande seulement à tous — vos valises ouvertes, vos ablutions faites — de redescendre tout de suite. Malgré les fatigues du voyage, nous ne pouvons pas nous offrir le luxe de perdre un seul de nos matins. Je compte passer dans huit jours.

LE COMÉDIEN PIEDELIEVRE *s'exclame.*

Nous ne serons jamais prêts!

ANTOINE

La pièce est si courte! On dit toujours qu'on ne sera jamais prêt au théâtre et on l'est toujours. A neuf heures moins cinq le décor tombe, la jeune première, qui attend un bébé, s'évanouit, la grande coquette a oublié ses dents dans sa loge, on lève tout de même et c'est Austerlitz!

LE COMÉDIEN PIEDELIEVRE, *sombre.*

Ou Waterloo!

ANTOINE *sourit.*

Vous oubliez, mon cher, que Waterloo est aussi le nom d'une grande victoire! A six heures la bataille était perdue, la moitié des gens qui étaient là craignaient Grouchy : c'était Blücher! Sauvés!

LE COMÉDIEN PIEDELIEVRE, *entre ses dents à la comédienne Carlotta, en sortant avec elle.*

Il est devenu très pro-allemand! S'il continue, je vais faire un éclat!

LA COMÉDIENNE CARLOTTA

On dit à Paris qu'il vit avec une petite Bavaroise qui pourrait être sa fille. Vous savez, à cet âge, l'amour, cela fait faire n'importe quoi.

LE COMÉDIEN PIEDELIEVRE

L'amour fait faire bien des bêtises, mais la revanche, c'est sacré! Il ne faut pas oublier qu'en 70, ces gens-là coupaient les mains de nos enfants.

Ils sont tous sortis. Antoine s'approche de la jeune fille qui joue le personnage de Maria qui sortait la der-

nière; il lui prend le bras et lui dit simplement :

ANTOINE

Mademoiselle, vous êtes la seule que je ne connaissais pas. Je vous ai choisie sur une photographie parce que vous ressembliez beaucoup au personnage — mais on m'a dit que vous aviez aussi beaucoup de talent. Votre rôle est presque muet. Il paraît modeste, il est capital. Je vous l'expliquerai tout à l'heure. Au milieu de toutes ces bavardes qui s'analysent, mademoiselle, vous êtes l'amour, le vrai, celui qui donne et ne dit presque rien.

LA JEUNE COMÉDIENNE

Tout le monde la trouve sotte et un peu dure dans la pièce...

ANTOINE, *doucement.*

C'est un immense privilège qui n'est réservé qu'aux cœurs purs. Elle n'est pas dure, elle est nette; elle n'est pas sotte, elle est tendre. Elle seule a sans doute une vraie peine et c'est pour cela qu'elle ne parle pas. Croyez-en quelqu'un qui s'y connaît, elle n'a guère qu'une scène sur la fin, mais c'est le plus beau rôle.

LA JEUNE COMÉDIENNE

Je ne le comprends pas très bien. Elle revient au moment de l'enterrement, mais elle avait pourtant quitté Antoine quelque temps auparavant pour se marier?

ANTOINE

Oui.

LA JEUNE COMÉDIENNE

Elle ne l'aimait plus? Ce n'est pas très nettement dit dans la pièce.

ANTOINE

Si. Elle l'aimait.

LA JEUNE COMÉDIENNE

Et lui?

ANTOINE

Il l'aimait aussi.

LA JEUNE COMÉDIENNE

Alors pourquoi se sont-ils quittés?

ANTOINE

C'est une des parts d'ombre de ma pièce. J'aimerais qu'on se le demande. Je me le demande bien, moi!

LA JEUNE COMÉDIENNE

Je crois que pour bien jouer ce rôle, il faudrait pourtant que je sache pourquoi elle a décidé ou accepté de partir?

ANTOINE, *léger.*

Ces comédiens qui veulent toujours tout savoir! Et encore, en France, ce n'est rien. Vous savez qu'en Allemagne on ne peut pas leur faire lever le petit doigt sans leur faire une conférence? *(Il redevient grave et dit soudain sourdement.)* Peut-être s'est-elle aperçue qu'Antoine n'avait jamais été capable de vivre — qu'il avait inventé sa vie et les personnages de sa vie comme ses pièces et en même temps, — et qu'elle n'était qu'un signe, comme les autres, dans le rêve de cet homme endormi. Ce jour-là, elle a fui, comme un petit animal sauvage qui sent l'odeur de la mort.

Il y a un silence, la jeune fille a soudain les larmes aux yeux. Elle murmure.

LA JEUNE FILLE

Et il l'a laissé partir?

ANTOINE, *doucement.*

Il a même dû l'aider un peu... Ne sachant pas trop ce qu'il faisait. Il y a des êtres qui ont le génie de la solitude, ils ne savent pas retenir... Et puis, on parle toujours de la différence d'âge. Les visages ce n'est rien. Ce sont les âmes qui ont des plis... Alors un jour elle est venue lui dire...

LA JEUNE FILLE, *doucement, mystérieusement.*

J'ai à vivre...

Il la regarde troublé soudain. Elle continue, souriante.

LA JEUNE FILLE

J'ai à construire ma maison moi aussi... La seule maison que j'aurai jamais, moi. Sans toi...

Elle a dit cela doucement, tristement, avec un imperceptible sourire qui fait qu'on ne sait pas si elle joue. Antoine murmure, la regardant comme fasciné.

ANTOINE

Tiens! Vous savez déjà votre texte?

La jeune fille continue doucement sans le quitter des yeux, ils sont immobiles l'un en face de l'autre, troublés.

LA JEUNE FILLE

Parce qu'il y a des choses vraies — qui ne sont pas forcément les choses drôles... Tu t'en apercevras un jour, quand tu seras enfin devenu grand et que tu n'auras plus envie de jouer... Mais ce sera bien tard.

ANTOINE, *fasciné, murmure, lointain.*

Et il répond : En effet, il se fait tard.

LA JEUNE FILLE, *esquissant un mouvement sans bouger.*

Je vais allumer les lampes...

ANTOINE, *doucement.*

Non. Je ne parlais pas de cela. *(Ils sont immobiles l'un en face de l'autre, il continue neutre, presque léger, souriant un peu comme si c'était un jeu.)* Tu sais que si tu me dis que tu as décidé de partir, je ne ferai rien pour te retenir? A mon âge on est bourré de complexes et on ne peut vraiment plus se jeter à genoux. Le cœur voudrait bien, mais ce sont les genoux qui refusent. Une méfiance de rhumatisant peut-être déjà. Les hommes vieillissants ne se jettent pas à genoux parce qu'ils ne sont plus absolument sûrs de se relever.

LA JEUNE FILLE, *souriant aussi, étrange.*

Je sais que tu ne te jetteras pas à genoux et que tu souriras jusqu'au bout, comme si cela ne te faisait rien. Mais je sais aussi que tu m'aimais — à ta façon.

ANTOINE

Oui. Et tu vas te marier tout de même avec ce garçon que tu n'aimes pas?

LA JEUNE FILLE

Il est fort, il est simple. Il a été mon fiancé avant que je te connaisse et je sais qu'il m'a attendue. Il m'entourera de vraies choses, un peu ternes, mais vraies. C'est de cela que j'ai besoin maintenant.

ANTOINE *murmure.*

Qu'est-ce que c'est, les vraies choses?

LA JEUNE FILLE *a un sourire grave.*

Les enfants, les maisons... Il me donnera un vrai enfant et je tiendrai en ordre une vraie maison — comme le voulait mon destin de petite paysanne allemande — que tu as un instant dérangé. Coupant de vraies tartines, dans du vrai pain à quatre heures pour mon garçon que j'entendrai rentrer de l'école, courant avec ses galoches, sur la neige dure du chemin.

ANTOINE *demande encore sourdement.*

Et tu seras heureuse?

LA JEUNE FILLE

Je ne cesserai pas de t'aimer, sans doute, et il le saura. Mais je t'ai dit qu'il était rude et simple. Il m'acceptera ainsi, je le sais. En échange je lui donnerai ma force et ma foi, pour faire la route à côté de lui.

ANTOINE, *dur et léger encore.*

Et quand tu auras fini de couper toutes tes tartines, ton moutard endormi, tu te donneras à lui, n'est-ce pas, le soir, dans votre foutu lit allemand sans draps?

LA JEUNE FILLE, *soudain plus dure.*

Oui. *(Elle ajoute nette :)* Tendrement. Parce que ce sera son dû et que je suis honnête. Parce qu'il est beau, jeune et fort, aussi, et que je serai sa femme.

ANTOINE

Et tu m'oublieras?

LA JEUNE FILLE, *nette.*

Non. Je te remettrai à ta place, avec Paris où je n'aurai été qu'un jour avec toi, en coup de vent; avec le théâtre, une fois par an à Munich à l'Opéra, au moment du Congrès des Instituteurs bavarois — avec la France où tout est plus léger, plus tendre, plus facile que chez nous — mais où ce n'est pas chez nous... Tu la connais bien pourtant, depuis que tu es tout petit : je suis d'une race où l'on mange son pain sec sans se plaindre...

Il y a un silence angoissant, troublé, et puis soudain Antoine rompt le charme et s'écrie d'un autre ton.

ANTOINE

Et caetera... Et caetera...! C'était tout de même une assez jolie scène! Un peu bavarde et littéraire, un peu sentimentale, aussi, peut-être... Mais vous avez remarqué que ce sont les cyniques qui ont le plus facilement la larme à l'œil?

LA JEUNE FILLE *au bord des larmes murmure.*

Moi je la trouve tellement triste...

ANTOINE *s'exclame bouffonnant,*
la prenant tout à coup dans ses bras.

Mon pauvre petit oiseau! Qu'est-ce qui m'a fichu une comédienne pareille? Si vous vous mettez à croire aux histoires de théâtre vous mourrez avant l'âge, mon enfant!

LA JEUNE FILLE, *épouvantée.*

Qu'est-ce que vous faites, monsieur?

ANTOINE

Je vous embrasse, tout simplement. Parce que j'en ai envie!

La vieille Frida qui était revenue prendre la valise de la jeune fille les surprend et s'écrie, haineuse.

FRIDA

Franchose! Gauner!

ANTOINE *lui crie, tenant toujours la jeune fille.*

Oui! je l'ai prise dans mes bras, celle-là aussi! Oui! Je fais n'importe quoi et je mourrai seul comme un chien! Mais tu ne pourrais pas le dire en français, que tout le monde comprenne, vieille Walkyrie? Tu sais très bien que je n'ai jamais pu l'apprendre, ton allemand!

Tous les autres sont entrés au même moment, les surprenant aussi. Dans le groupe on entend Carlotta qui murmure : « *Naturellement avec Antoine il faut toujours que la jeune première y passe...* » *Antoine va à eux très naturel, léger.*

ANTOINE

Ah! vous voilà, vous! Nous allons mettre le début en place... C'est une pièce qu'il faut attaquer en croches et un ton au-dessus. Après, à l'andante, le ton change... Allons-y! Place au théâtre! Vous avez tous vos textes? *(Il est grimpé sur l'estrade heureux comme un enfant qui joue.)* Et grimpons sur nos planches, si petites soient-elles! Hors des planches, point de salut! Un comédien c'est d'abord quelqu'un qui est grimpé sur quelque chose — fût-ce un tonneau. Demandez aux hommes politiques qui s'y connaissent en comédie — dès qu'ils ont un mot à dire dans une réunion — hop! les voilà perchés! C'est sur une chaise que Camille Desmoulins a commencé la révolution. *(Il arpente la petite scène, mettant les chaises en place.)* J'ai improvisé une plantation sommaire; nous la modifierons selon les besoins. D'ailleurs, tout le début se joue debout. C'est l'ami médecin et Geneviève qui entrent les premiers. Ils visitent la maison qui leur est inconnue et où le notaire les a convoqués à la mort d'Antoine. Les autres sont encore dans la pièce voisine. Ils les rejoindront plus tard. Vous sentez bien la situation? Antoine n'a pas seulement trompé Geneviève avec une femme; il l'a trompée avec une maison. Au théâtre, la situation c'est tout. J'ai mis trente ans à m'en apercevoir. Allez-y!

La comédienne Estelle et le comédien Cravatar commencent à lire leurs rôles sur leur manuscrit, assez mal d'ailleurs. Antoine s'est installé sur une chaise en bas, un peu à l'écart des autres. Il a passé tout naturellement son bras autour des épaules de la jeune comédienne.

LE COMÉDIEN CRAVATAR, *feignant d'entrer avec la comédienne Estelle sur la petite scène.*

C'est un petit bijou de décoration baroque; dans un bâtiment du seizième. C'est admirable!

LA COMÉDIENNE ESTELLE, *lisant.*

Oui. Antoine a toujours eu des maisons admirables. C'était une maladie chez lui. Quand un pays lui plaisait, il fallait qu'il y achète une maison. Il s'était figuré, parce que nous y avions passé le temps le plus heureux de notre voyage de noces, que Florence serait le lieu de notre réconciliation... Un autre y aurait réservé une suite au Grand Hôtel; il y a acheté une villa sur les hauteurs de Fiesole — où nous ne sommes restés qu'un jour. Le temps d'une dispute — d'ailleurs définitive. *(Elle demande soudain à Antoine :)* Elle y met quelque aigreur en disant cela?

ANTOINE

Non. Détachée. Elle constate. Il doit seulement se dégager d'elle une certaine impression de sécheresse et de froideur — qui contraste avec ses vêtements de veuve. Tout cela en croches — je vous l'ai dit — très vif.

LA COMÉDIENNE ESTELLE *continue.*

Plus tard, lorsque nous avons décidé, d'un commun accord, de mettre Augustin aux Roches, l'idée de le revoir le dimanche dans un restaurant le rendant malade, il a acquis une maison à Verneuil. Les murs c'était sa façon de croire à la famille... Il ne se demandait jamais ce qu'on allait mettre dedans.

ANTOINE

Un point d'orgue...

LA COMÉDIENNE ESTELLE *continue.*

Le problème de sa visite mensuelle aux enfants se posant, il ne voulait pas revenir avenue du Bois où je l'aurais pourtant accueilli —, il s'est acheté et meublé, pour ce nouvel adultère familial, une garçonnière rue de Prony.

ANTOINE

Je vous demande pardon, c'est un peu précis : cela m'a échappé. Mettez rue de Chazelles.

LA COMÉDIENNE ESTELLE *reprend, rectifiant sur son manuscrit avec un crayon.*

Il s'est acheté et meublé pour ce nouvel adultère familial une garçonnière rue de Chazelles, dont la concierge, rendue méfiante par les mœurs du quartier, a fait je ne sais combien de rapports à la police disant que le nouveau propriétaire y débauchait des mineurs. Marie-Françoise et Augustin venaient en effet à tour de rôle y passer la nuit. Granchatre, le préfet...

ANTOINE

J'ai mis Granchatre?

LA COMÉDIENNE ESTELLE

Oui.

ANTOINE

Il va se croire visé. Mettez donc Petitchatre : il suffit d'un détail pour rassurer les imbéciles.

LA COMÉDIENNE ESTELLE *continue, rectifiant encore sur son manuscrit.*

Petitchatre, le préfet, très ennuyé, l'a même convoqué en lui recommandant un peu plus de discrétion dans ses vices!

LE COMÉDIEN CRAVATAR, *sinistre.*

C'est follement drôle.

ANTOINE

On ne le dirait pas.

LE COMÉDIEN CRAVATAR

Plaît-il?

ANTOINE, *continuant.*

Que c'est follement drôle... Vous dites cela d'un air sinistre. Ce détail vous amuse, mon vieux!

LE COMÉDIEN CRAVATAR, *aigre.*

C'est que moi, cela ne m'amuse pas tellement...

ANTOINE *a un geste.*

J'en suis navré, mais, en ce cas, c'est tout le métier qui est remis en question. Ayez la bonté de faire comme si cela vous amusait.

LE COMÉDIEN CRAVATAR *reprend, outré, se tapant sur les cuisses.*

C'est follement drôle!

Il y a un petit temps, Antoine soupire.

LA COMÉDIENNE ESTELLE, *continuant.*

N'est-ce pas? Je me suis astreinte avec Antoine à toujours trouver tout follement drôle! J'ai panaché pendant quinze ans les crises de fou rire et les sanglots.

LE COMÉDIEN CRAVATAR, *en faisant trop encore.*

Pauvre Geneviève!

Un petit temps imperceptible. Antoine soupire.

LA COMÉDIENNE ESTELLE

Pauvre Geneviève! C'est ce que tout le monde disait à Paris. Avant je m'appelais seulement Geneviève; j'ai eu droit à un second prénom. Pauvre-Geneviève. Avec un trait d'union. Pauvre! C'est un charmant prénom et qui me va bien, vous ne trouvez pas?

LE COMÉDIEN CRAVATAR, *exagérant encore, se pressant presque contre elle.*

Vous vous calomniez. Je connais beaucoup d'hommes dont moi d'ailleurs, qui...

ANTOINE *lui crie agacé.*

N'en faites pas trop! Il ne va tout de même pas la culbuter dans le salon!

LE COMÉDIEN CRAVATAR
demande sec.

Ressent-il ou non du désir pour elle?

ANTOINE

Geneviève est ravissante et il aurait été ravi de profiter de la situation, une femme abandonnée, c'est le gardon du pêcheur malhabile... Mais ce n'est tout de même pas un homme des cavernes qui voit passer sa première femelle du matin... Il ne rugit pas. Restez léger.

LE COMÉDIEN CRAVATAR, *aigre.*

Évidemment, on peut toujours ne rien faire du tout!

ANTOINE

C'est souvent le plus sage, au théâtre. Une fois sur deux le texte suffit.

LE COMÉDIEN CRAVATAR, *ironique.*

Et l'autre fois?

Les comédiens ont des petits rires étouffés à cette pointe.

ANTOINE, *impassible.*

Poursuivons.

LA COMÉDIENNE ESTELLE, *poursuivant.*

Épargnez-moi ce vieux refrain. J'avais décidé que dans notre couple bancal, l'un des deux au moins serait fidèle. Pour faire une moyenne.

LE COMÉDIEN CRAVATAR

Fidèle à qui? A quoi?

LA COMÉDIENNE ESTELLE

A moi, mettons.

ANTOINE

Cela, vous l'avez très bien dit. C'est une des clefs du personnage. On s'attendrit toujours sur les honnêtes femmes — mais, comme l'a dit je ne sais plus qui : il y a des fidélités qui ne sont qu'à soi-même.

LA COMÉDIENNE CARLOTTA *glousse et lui crie de sa place.*

Vous êtes affreux, maître! Vous démolissez tout!

ANTOINE *a un geste nonchalant.*

Boh, vous savez, des mots... voilà tout! On fait le méchant, le cynique, on croit qu'on a beaucoup d'esprit, on arrive à faire rire un peu : on ne démolit rien. Même quand on a du génie, et ce n'est pas le cas. Croyez-vous qu'après le coup d'estoc du Tartuffe, les hypocrites ne s'en sont pas moins bien portés? L'homme est un monstre solide. *(Il enchaîne.)* J'aimerais que nous passions provisoirement à l'entrée des autres personnages... que je voie si vous tenez tous sur mon petit plateau. Nous répéterons dans l'ordre cet après-midi. Grossac, Grandmont, notre diva, Chanteraine, la petite, venez que je vous place pour votre entrée.

Les autres montent sur scène et Antoine les place pour l'entrée de Carlotta, puis il redescend.

Allez-y. C'est du provisoire mais je crois que ces numéros sont bons.

LA COMÉDIENNE CARLOTTA, *avant de commencer à lire son texte, demande.*

C'est une vieille folle... Je ne compose pas?

ANTOINE, *impassible.*

Je ne crois pas que ce soit nécessaire, chère amie.

LA COMÉDIENNE CARLOTTA
minaude encore.

Tout de même je n'ai pas tout à fait l'âge du rôle!

Les autres rient un peu sous cape à cette réflexion.

ANTOINE, *toujours impassible.*

Il y a la transposition théâtrale, ne l'oublions pas.

LA COMÉDIENNE CARLOTTA *attaque.*

Route admirable! Précipices merveilleux! Sensation délicieuse de danger! Site et maison extraordinaires! Tout est réussi!

Elle embrasse théâtralement la comédienne Valérie.

Vous embrasse encore, cara mia!

LA COMÉDIENNE ESTELLE

Elle a toujours l'air d'envoyer un télégramme!

LA COMÉDIENNE CARLOTTA *demande.*

Elle sait qu'elle se trompe de veuve?

ANTOINE

C'est évident.

LA COMÉDIENNE CARLOTTA

Alors, il faut que je le marque. Vous embrasse encore, cara mia! *(Elle a fait une mimique excessive.)*

ANTOINE, *patient.*

Pas trop, tout de même, ce ne serait plus drôle.

LA COMÉDIENNE CARLOTTA

Excusez-moi, mon cher maître, mais il faut savoir ce que vous voulez!

ANTOINE, *patient.*

Je le sais très bien. C'est entre les deux, comme toujours. Poursuivons, nous préciserons plus tard.

LA COMÉDIENNE CARLOTTA *reprend.*

Vous embrasse encore, cara mia.

LA COMÉDIENNE ESTELLE,
à Cravatar-Marcellin.

Elle a toujours l'air d'envoyer un télégramme!

LA COMÉDIENNE CARLOTTA,
continuant.

Ah, que je suis étourdie! Toutes les deux en noir, toutes les deux si tristes, je croyais que c'était Geneviève. Pardon, ma chère. C'est vous que je voulais embrasser, cara mia! Sans rancune et de tout cœur! J'ai un immense, immense chagrin. Asseyons-nous. *(Elle prend une chaise.)* Un beau fauteuil de théâtre! Antoine savait toujours dénicher le meuble que personne n'a vu. La grandeur, la raideur insolite du grand siècle avec un excès de dorure un peu allemand. *(Elle demande.)* Ça sera cette chaise?

ANTOINE, *agacé.*

Non, bien sûr, poursuivez.

LA COMÉDIENNE CARLOTTA,
poursuivant.

On y est très mal. *(Elle grommelle.)* C'est un fait! On y est très mal. Une chaise de cuisine! Il faudrait tout de même répéter dans les meubles!

ANTOINE

Poursuivez!

LA COMÉDIENNE CARLOTTA

Nous ne sommes pas des robots, mon cher maître, nous sommes des êtres sensibles... *(Elle continue marquant le coup.)* On y est très mal! Je vais me mettre sur le canapé. *(Elle le cherche des yeux et demande finement.)* Il y aura un canapé?

ANTOINE, *ennuyé.*

Je me le demande. Si je mets un canapé, on ne pourra plus bouger.

LA COMÉDIENNE CARLOTTA,
contrariée.

S'il n'y a pas de canapé, il faudra couper ma réplique et j'y tiens : c'est mon premier effet!

LE COMÉDIEN PIEDELIEVRE
s'avance, noble.

Vous voulez que je vous dise mon sentiment, mon cher maître? Tout cela est improvisé! Nous ne passerons jamais dans huit jours, c'est impossible!

ANTOINE

Rien n'est impossible au théâtre, vous le savez bien.

LE COMÉDIEN PIEDELIEVRE,
avec une humeur croissante.

Partis comme nous le sommes, je vous prédis une représentation d'amateurs, mon cher ami!

ANTOINE

J'espère, mon cher Grossac, que nous sommes tous restés et que nous resterons toujours, tous, des amateurs. C'est le vocable du théâtre le plus décrié et c'est le seul où il y ait le mot amour. Et puis, d'abord, au théâtre : on débute toujours! Heureusement! Cela serait sinistre si on n'était plus surpris!

LE COMÉDIEN PIEDELIEVRE

Excusez-moi, maître, mais j'ai tout de même trente-cinq ans de Comédie-Française derrière moi!

ANTOINE, *souriant.*

C'est évidemment un handicap...

LE COMÉDIEN PIEDELIEVRE
se drapant dans sa dignité.

Si vous le prenez sur ce ton!

ANTOINE

Mon cher Grossac, je plaisantais. Personne ne respecte plus que moi votre illustre maison. Je la respecte tellement que je n'ai pas encore osé y entrer!

LE COMÉDIEN PIEDELIEVRE,
explosant soudain.

Mais sacrebleu, monsieur! Si vous voulez faire n'importe quoi, n'importe comment, pourquoi vous êtes-vous adressé à des gens de métier? Et d'abord devant qui prétendiez-vous nous faire jouer cette chienlit?

ANTOINE, *étrangement, soudain.*

Devant moi seul.

Les autres surpris par l'insolite de la réplique ont arrêté les chuchotements indignés dont ils ponctuaient la révolte du vieux sociétaire. Ils regardent Antoine.

ANTOINE

C'était un dernier plaisir un peu amer que je voulais m'offrir... Convoquer les personnages de ma vie et, qu'une fois enfin, ce soit moi qui aie fait le texte — le vrai texte — celui qu'on ne dit jamais... Qu'une fois enfin, j'aie fait la mise en scène. Que j'aie pu vous arrêter pour vous dire que vous parliez faux, vous mettre de dos au moment le plus pathétique, pour voir si votre derrière, aussi, jouait bien. Vous faire taire... Vous renvoyer à votre néant au besoin si vous étiez trop mauvais. Tout ce qu'on ne fait jamais avec les vrais personnages de sa vie...

LE COMÉDIEN PIEDELIEVRE, *indigné.*

Mais saperlotte, monsieur! Le théâtre est un art sacré! Ce n'est pas un amusement! Dois-je comprendre que nous n'étions que des cobayes dans une sorte d'expérience de vivisection?

ANTOINE *a un sourire étrange.*

Un peu, oui.

LE COMÉDIEN PIEDELIEVRE

C'est inimaginable! Monsieur, en quarante ans de carrière je n'avais jamais vu cela! Ainsi nous allions apprendre un texte et le réciter devant vous pour votre satisfaction solitaire?

ANTOINE

Ce n'est jamais pour autre chose que pour sa satisfaction solitaire qu'on écrit.

LE COMÉDIEN PIEDELIEVRE

Mais Monsieur, c'était néronien!

ANTOINE *sourit.*

Quel grand mot! Je me suis amusé à imaginer ce que vous diriez autour de mon cercueil, c'est bien mon droit. Seulement je comprends maintenant qu'il y avait une erreur à la base et pourquoi je ne prenais pas le plaisir que j'avais escompté à cette répétition. Ce n'était pas *vous* qui parliez : c'était vous, *vus par moi*. On n'en sort pas! On est en cage. On ne connaît les autres que par l'idée qu'on se fait d'eux. Quel monde incompréhensible, les autres... Le vrai plaisir, celui dont tant d'hommes ont dû rêver — ce serait d'être là, bien raide dans la boîte, mais pas tout à fait mort — pour entendre enfin pour la première fois ces inconnus avec qui on a vécu... *(Il les regarde tous autour de lui avec une sorte d'avidité narquoise. Il demande soudain.)* Qu'est-ce que vous direz au juste, ce jour-là?... Que dit-on? En tant que doyen de la Comédie-Française vous devez avoir l'habitude des enterrements?

LE COMÉDIEN PIEDELIEVRE,
se méprenant.

Eh bien! surmontant notre tristesse profonde... nous dirons l'immense perte pour notre profession... Nous évoquerons l'homme courtois et charmant... Le grand travailleur... Nous dirons les longues heures de labeur en commun, au cours des répétitions fructueuses...

ANTOINE, *éclatant de rire.*

Mais non! Pas vous! Vos personnages! Les personnages que je vous ai demandé d'incarner. C'est eux que je voudrais entendre!... L'ami trop léger, l'ami trop lourd, le faux frère, la veuve... *(Il a un geste léger, il baise drôlement la main de la comédienne Estelle.)* Ma veuve!... Dire qu'on se promène toute sa vie à côté de sa veuve et qu'on ne sait même pas qui c'est... Et qu'à la naissance subite de cette ambiguë petite personne... Pfutt! c'est trop tard pour faire sa connaissance : on est mort. *(Il s'exclame soudain étrangement.)* O, madame, j'aurais tant voulu vous connaître... *(Il enchaîne fiévreusement pris d'une inspiration subite.)* Écoutez, mes amis... Vous avez étudié vos personnages dans le train; par une coïncidence — à laquelle je ne suis pas tout à fait étranger, je l'avoue — vous leur prêtez une réalité troublante... Si vous essayiez de la jouer, cette scène? Cela m'amuserait tant!

LE COMÉDIEN PIEDELIEVRE,
épouvanté.

Vous voulez nous demander d'improviser?

ANTOINE

Pourquoi pas? Il paraît que c'est la mode. Allez, jouez-moi la scène que je n'ai pas pu écrire — tout bonnement parce que je ne pouvais pas me payer le luxe de changer de décor —, la scène du cimetière... C'est une scène en or. La situation est simple. Vous êtes tous venus en Bavière sur la convocation de mon notaire — il est rare qu'on ne réponde pas à ce genre de convocation-là. Vous êtes montés jusqu'au petit cimetière de montagne... Vous êtes tous là, dans la petite chapelle baroque, autour du cénotaphe... Il y a d'abord un temps de gêne, vous ne savez pas quoi dire... Et puis enfin, il y en a un qui se décide et qui dit quelque chose... Une banalité de préférence... *(Il installe des chaises, se couche dessus, semblant s'amuser beaucoup.)* Voilà. Moi je fais le mort! Et nous savons, depuis Molière, qu'il n'y a aucun danger à contrefaire le mort... *(Il leur crie, les voyant qui le regardent et hésitent.)* Allez-y, bon Dieu! Au XVIIe vous en étiez tous capables de jouer au canevas!

LE COMÉDIEN PIEDELIEVRE

Oh! Les Italiens! Vous nous demandez là quelque chose de très délicat, mon cher maître!

ANTOINE

Mais pas du tout! Ne faites pas les hypocrites... Faire du texte, vous en mourez tous d'envie, aux répétitions! Allez-y. Jetez-vous à l'eau. Vous connaissez vos personnages... Vous connaissez la situation... Ce n'est pas autre chose, que diable, le théâtre! Une situation et des caractères et après on parle : voilà tout! Et au bout d'une heure ou d'une heure et quart, on fait un entracte et on vend des bonbons dans la salle... Tout le reste est littérature, vous le savez bien!

LE COMÉDIEN PIEDELIEVRE, *choqué.*

Tout de même, mon cher maître, certaines œuvres portent un message!...

ANTOINE

Eh bien! si vous en avez un, profitez-en pour nous le délivrer. Cela fera théâtre d'avant-garde... Allez-y. Moi je suis le mort. Je ne peux plus parler. *(Il ajoute gentiment.)* Vous allez m'objecter que tout cela n'est pas très syndical, mais comme je vous demande un travail plus difficile je doublerai votre cachet.

LE COMÉDIEN PIEDELIEVRE, *noble, quoique intéressé.*

Oh, ce n'était pas de cet aspect de la question que je voulais parler mon cher maître...

Les personnages se regardent, hésitants. Ils le regardent, couché, les yeux fermés, et, peu à peu, se pénétrant de la situation, ils prennent tous l'air très triste. Mais ils n'ont pas encore parlé.

ANTOINE, *les yeux fermés, les mains jointes.*

Évidemment, si vous attendez trop longtemps, il y aura un trou.

LE COMÉDIEN MARCELLIN *se décide enfin.*

Dire qu'il est là!

LE COMÉDIEN PIEDELIEVRE

Dans cette petite boîte.

LE COMÉDIEN MARCELLIN

Lui qui aimait tant aller et venir!

LE COMÉDIEN CRAVATAR, *faussement pénétré.*

Le plus dur c'est pour ceux qui restent.

ANTOINE, *les yeux fermés, les mains jointes.*

C'est très bon. C'est très moderne. Continuez !

Les personnages se regardent angoissés. Visiblement, ils ne trouvent plus rien. Le comédien Marcellin lâche enfin avec un grand geste des bras.

LE COMÉDIEN MARCELLIN

On est sans mots !

ANTOINE, *agacé, entre ses dents.*

Ne l'avouez pas ! On peut être moderne, mais pas à ce point !

LE COMÉDIEN PIEDELIEVRE *a soudain une idée historique.*

Il est encore plus grand mort que vivant !

ANTOINE, *agacé, même jeu.*

Ça, c'était pour le duc de Guise ! Parlez de moi, bon Dieu !

LE COMÉDIEN CRAVATAR *trouve enfin.*

C'est une immense perte pour le théâtre.

ANTOINE

Voilà. Vous avez le ton.

LE COMÉDIEN PIEDELIEVRE

Ce sont toujours les meilleurs qui s'en vont...

LE COMÉDIEN CRAVATAR

Croyez-vous qu'il a souffert?

LE COMÉDIEN MARCELLIN

On dit que non.

LE COMÉDIEN PIEDELIEVRE

On se refuse à croire! La semaine dernière encore je déjeunais avec lui, nous ne nous doutions pas... Nous avions mangé d'excellentes marennes...

LE COMÉDIEN MARCELLIN

Personne ne se doutait. Surtout pas lui.

LE COMÉDIEN CRAVATAR

Mais enfin, quel âge avait-il exactement?

LE COMÉDIEN MARCELLIN

Cinquante-trois.

LE COMÉDIEN CRAVATAR

Ah? Je le croyais plus âgé. Je croyais qu'il avait cinquante-quatre.

LE COMÉDIEN PIEDELIEVRE, *la main à sa calvitie, un peu angoissé.*

Cinquante-trois ans. Il était terriblement jeune!

LE COMÉDIEN MARCELLIN *précise.*

Oui, mais lui, il avait toujours été fragile des bronches...

Un petit temps de recherche vaine, puis le comédien Cravatar ne trouvant pas autre chose répète, pénétré.

LE COMÉDIEN CRAVATAR

C'est une immense perte pour le théâtre.

ANTOINE

Vous l'avez déjà dit. *(Il s'est dressé déçu, il les regarde.)* C'est faible. C'est très faible... Si j'avais été vraiment mort vous ne m'auriez pas gâté... Et les femmes qui se contentent de pousser des soupirs... Veuves, éplorées, mais muettes... Décidément j'ai bien fait de ne pas tenter de l'écrire cette scène... Devant les vivants on ne dit déjà pas grand-chose, mais devant les morts on ne dit rien... *(Il a repris la main d'Estelle et la regarde étrangement.)* Je n'ai donc plus aucune chance de savoir qui vous étiez — ma veuve? Peut-être peu de chose, après tout. On se fait un mystère des êtres, une fois sur deux, il n'y en a pas. Une jeune femme qui s'ennuyait tout simplement. *(Il demande soudain.)* Vous croyez que vous m'avez aimé?

LA COMÉDIENNE ESTELLE, *troublée.*

Je ne sais pas.

ANTOINE *a un sourire.*

Bien sûr, vous ne savez pas... Jeune fille, pourtant, vous sembliez tendre?

LA COMÉDIENNE ESTELLE

Dans le rôle, elle est si dure, — toujours...

ANTOINE, *doucement.*

C'était peut-être une défense... *(Il ajoute drôlement.)* Et puis, c'est moi qui l'avais écrit ce rôle — ce qui n'est pas très juste non plus... *(Il rêve un peu, il a un petit geste insolite et soupire.)* On ne saura rien! On ne sait jamais rien. On meurt sans savoir. *(Il ajoute.)* Mais il n'y avait peut-être rien à apprendre... *(Il les regarde souriant un peu absent, il leur dit soudain.)* Vous ne savez pas ce que nous devrions faire mes amis? Nous devrions renoncer à jouer cette pièce!

LE COMÉDIEN PIEDELIEVRE *interloqué.*

Comment, monsieur? Mais vous nous avez convoqués?...

ANTOINE

J'ai été bien léger de vous faire venir de si loin — et si ressemblants... Je crois qu'il vaut mieux, décidément, que l'amitié et l'amour restent des notions sans visages... *(Il les regarde tous comme angoissé et soudain il s'écrie riant, pointant un doigt sur Cravatar.)* Et, en plus, j'avais fait une énorme erreur de distribution!... C'est vous, bien sûr, qui auriez dû jouer le critique! J'ai été un fou! Vous êtes exactement le personnage... Je vous imagine avec une petite moustache... C'est hallucinant! C'est hallucinant! C'est lui! C'est tout à fait lui! C'est Cravatar!

Il éclate d'un rire fou, le doigt pointé sur Cravatar ahuri. Il crie comme le phonographe : Tu es là Cravatar? Tu es là Cravatar? Tu es là Cravatar? Les comédiens le regardent démontés. La lumière baisse; on entend le rire d'Antoine pendant le noir encore... Quand la lumière remonte : nous sommes en hiver le soir... Tous les personnages sont là, sous leur véritable aspect, autour du notaire qui vide une grande chope de bière.

LE NOTAIRE *conclut.*

Après cette représentation ratée, qui a été en somme sa dernière folie, Monsieur de Saint-Flour s'est retrouvé définitivement seul... C'est alors qu'il a réalisé, semble-t-il, combien il avait été léger de laisser partir, comme en se jouant, cette jeune fille... *(Il s'est penché vers Estelle qui est près de lui, raide.)* Si vous me permettez d'être franc, madame, au cours d'une vie faite de beaucoup d'illusions et d'inconséquences, elle seule lui avait apporté, sur le tard, une sorte de réalité... Mais habitué comme il l'était à inventer tout, de toutes pièces — sans doute ne s'en est-il rendu compte qu'après coup... Lui qui avait raconté tant d'histoires, la réalité était une chose qui ne lui était pas familière... *(Un petit temps, il enchaîne souriant, perdu dans ses souvenirs.)* J'avais fini par bien connaître Monsieur de Saint-Flour, au bout de longues nuits de bavardages ensemble, devant d'innombrables chopes de bière...

MARCELLIN *s'exclame.*

Il s'était mis à aimer la bière?

LE NOTAIRE

Oui.

MARCELLIN, *son verre à la main.*

On aura tout vu! Il avait horreur de ça. Votre petit vin blanc passe encore...

LE NOTAIRE, *avec un sourire.*

Il s'y était mis. Monsieur de Saint-Flour avait senti que dans ce pays rude et fermé

— où les êtres humains se parlent rudement et jamais de ce qui les préoccupe vraiment — ce n'est qu'au fond du cinq ou sixième pot de bière qu'il faut aller chercher un peu d'humanité et d'abandon.

ESTELLE, *ironique.*

Et peut-on savoir ce qu'il avait fini par trouver d'essentiel, au fond du dernier pot de bière de vos nuits de confidences?

LE NOTAIRE, *doucement.*

On ne trouve rien à vrai dire, madame, ici, au fond du dernier pot de bière. Pas plus que vous au fond de votre dernier verre de vin. L'illusion d'une sorte de vérité peut-être, dans un éclair — vérité dont l'usage se révèle bien décevant le lendemain, quand on est dégrisé. On redevient un écrivain français, courtois et distant, et un vieux notaire allemand tout empêtré de lui-même. Et finalement, on s'aperçoit qu'on ne s'est rien dit.

Il vide sa grande chope de bière, lointain. Il y a un silence.

ESTELLE *demande soudain dans le silence, d'une voix un peu changée, c'est la première fois depuis le début de la pièce.*

Il s'est senti très seul les derniers mois?

LE NOTAIRE

Oui, madame.

ESTELLE

Il avait une femme et des enfants à mille kilomètres de là et c'est volontairement qu'il était seul. Le savait-il?

LE NOTAIRE

Oui, madame.

ESTELLE, *d'une voix un peu plus altérée presque timide.*

Il aurait peut-être suffi d'un signe...

LE NOTAIRE, *doucement.*

La solitude est un piège redoutable. Qu'on y mette le doigt et elle se referme.

ESTELLE, *avec une sorte de tendresse rancunière, murmure.*

Antoine aura fini comme un enfant qui boude...

LE NOTAIRE, *doucement.*

Peut-être. Mais les grandes personnes, que d'autres problèmes préoccupent, se sont-elles jamais demandé sérieusement pourquoi un enfant commençait à bouder?

(Il y a encore un silence.)

CRAVATAR *commence sourdement.*

Antoine est mort comme un chien, c'est entendu, mais combien de mains tendues a-t-il repoussées ? Combien de chances d'amour a-t-il gâchées ? *(Il dit soudain étrangement, après un temps.)* Je l'ai aimé à dix-huit ans — quand nous préparions Normale à Louis-le-Grand. Je l'admirais. Je rêvais de lui, la nuit, comme d'une fille... Il faisait tout plus facilement que les autres, sans même se donner la peine de travailler, en se jouant. Il était Antoine de Saint-Flour que venait chercher le chauffeur de sa mère et moi... *(Il s'arrête et crie soudain.)* Moi, il fallait bien que je la presse à mort, ma cervelle de pauvre, entre les deux grosses mains de maçon de mon père, au lieu d'écrire n'importe quoi, en m'amusant, comme lui, sur une table de café ! Il fallait bien que je devienne emmerdant et que je prenne tout au sérieux, comme un cuistre, pour trouver enfin quelque chose dont je sois sûr — puisque au départ je n'avais rien reçu ! Le monde des pauvres s'écroule quand ils voient qu'on s'amuse de tout. C'est comme une gifle. Alors ils se font critiques ! Et ils foutent des zéros. Mérités !

Le chien s'est remis soudain à hurler plus fort que jamais. Cravatar bondit au râtelier d'armes, prend un fusil et cherche furieusement des cartouches, criant.

CRAVATAR

Bon! Il faudra l'abattre un jour ou l'autre, n'est-ce pas, ce chien, puisqu'on vend la maison? Alors, il faut que quelqu'un en ait le courage!

ESTELLE *crie soudain, se jetant sur lui comme une petite bête furieuse, transformée.*

Non! Pas son chien! Ne touchez pas à son chien! Ne touchez pas à son fusil! Ne dites plus tout ça de lui! Je ne peux plus vous entendre avec votre haine!

CRAVATAR *murmure démonté.*

Mais Estelle...

(Il y a un silence.)

ESTELLE, *sourdement soudain.*

J'ai aimé Antoine. Et puis, je l'ai haï. Mais je hais ceux qui le haïssent.

CRAVATAR *murmure encore.*

Vous l'aimez encore, Estelle?

ESTELLE *crie en pleurs.*

Je ne sais pas! Je ne sais pas! Je ne sais plus! On ne savait jamais à quoi s'en tenir avec lui. Et cela continue...

Elle s'est écroulée, pleurant. Valérie soupire, lointaine, tirant une bouffée de son long fume-cigarette.

VALÉRIE

Ma petite Estelle, quand cesserez-vous de lutter avec vous-même? *(Estelle s'est raidie retenant ses larmes. Valérie continue nonchalante.)* C'est du temps d'Antoine qu'il aurait fallu crier comme cela, une fois. Il aurait peut-être entendu.

ESTELLE *refermée, pitoyable, après un silence.*

Je ne pouvais pas. Je n'ai jamais su. Je n'ai pas été élevée comme ça.

VALÉRIE, *avec une sorte de nostalgie souriante, conclut.*

Au fond, le malheur d'Antoine, c'est qu'il n'arrivait à croire que ce qu'il imaginait...

Il y a un temps, puis Marcellin ajoute, toujours pour arranger les choses, dans le silence revenu.

MARCELLIN

Quel homme charmant c'était! Quel anecdotier remarquable! Quel ami agréable! Il s'amusait de tout! Dieu que nous avons pu rire ensemble, je vous l'assure... Je ne vous comprends pas. Moi je n'ai jamais souffert de ses inconséquences. Il disait à tout le monde que je n'entendais rien à la médecine — ce qui est bien possible, nous en sommes tous là — moi je trouvais, une fois sur deux, ses pièces exécrables, et quand je pouvais faire un mot sur lui, dans un dîner, je ne me gênais pas! Tout cela est de bonne guerre, voyons... *(Il poursuit, un peu ennuyé.)* Il m'en a voulu, oui, quand il a eu son appendicite aiguë, de l'avoir laissé — mais je l'avais mis entre les mains d'un excellent chirurgien et j'avais un week-end très amusant à Deauville. D'un autre côté, il n'est pas venu à l'enterrement de ma mère, parce qu'il ne s'est réveillé qu'à midi, dans je ne sais plus quel bordel, ce matin-là... C'est ça, l'amitié! Je ne vous comprends pas. Vous compliquez les choses les plus simples. Je m'entendais très bien avec Antoine, moi! Et vous, Piedelièvre? Vous ne dites rien...

Tout le monde s'est retourné vers Piedelièvre. Il dort sur sa chaise, ronflant doucement.

MARCELLIN *constate.*

Il dort. Lui aussi, vous voyez, il a la conscience parfaitement tranquille.

CARLOTTA *tranche soudain.*

Bon! De toute façon, Antoine est mort et toutes ces questions sont oiseuses. *(Elle se lève péniblement et conclut.)* Nous avons assez parlé de lui. Je suis vannée. Je vous suggère, à tous, de monter nous coucher... Elle m'a fait du bien, votre pommade, mon chou! Antoine ne nous a pas donné beaucoup. Nous ne lui avons pas donné beaucoup non plus. Tournons la page. La comptabilité est en ordre.

Tout le monde se lève pour sortir. Gabrielle a été réveiller Piedelièvre.

GABRIELLE

Peau de Lapin! Peau de Lapin! Au dodo! Il faut se réveiller matin! C'est demain que le consul vient inaugurer la plaque sur la maison d'Antoine.

PIEDELIEVRE, *s'éveillant, confus.*

Oh, pardon!... Je m'étais assoupi. Figurez-vous que je rêvais qu'Antoine avait enfin accepté d'entrer à l'Académie française — et que c'était moi qui prononçais le discours...

Il s'est levé, aidé par Gabrielle. Ils sont en train de sortir tous. Ils éclatent tous de rire. Le rideau tombe sur leur joyeuse sortie.

FIN DU TROISIÈME ACTE

QUATRIÈME ACTE

Devant le rideau fermé éclate soudain une « Marseillaise » jouée sur un rythme beaucoup trop rapide qui la rend vaguement cocasse. Le rideau se lève vers la fin de l'hymne sur le décor ensoleillé; c'est le matin. Alexandre et Anémone à demi enlacés se tiennent debout devant la fenêtre, regardant dehors. Dernières mesures de « la Marseillaise ».

ALEXANDRE *constate drôlement.*

Un peu vite. Ils ont dû vouloir faire parisien.

ANÉMONE, *navrée.*

C'est ridicule. Tout est ridicule!

ALEXANDRE

Mais non. Je suis sûr que cela l'aurait beaucoup fait rire, papa! Attention! Ils déploient le drapeau français. Ultime gracieuseté germanique! Ils ont dû le fabriquer dans la nuit avec des jupes de petites filles. Il pendouille... Carlotta au garde-à-vous, le vent agitant ses voiles, Cravatar profondément peiné, le masque impénétrable, Marcellin grave, Piedelièvre ruisselant : tout le monde joue bien!

ANÉMONE

Et le chien?

ALEXANDRE

Ils l'ont descendu à la ferme pour qu'il ne trouble pas la cérémonie. Chaque fois qu'il voyait Cravatar il lui sautait dessus... Le plus beau, c'est la plaque! Comme il a fallu faire vite pour profiter de la présence des invités, elle est en bois, la plaque de marbre, peinte à la main : on dirait une enseigne de bistrot!

ANÉMONE

Quelle horreur!

ALEXANDRE

Mais non, c'est très drôle! Papa se tord de rire en ce moment!

ANÉMONE *demande soudain.*

Qu'est-ce que c'est que tous ces enfants?

ALEXANDRE

Rassurez-vous, ils ne sont pas de lui. C'est la chorale.

ANÉMONE

Ils vont chanter?

ALEXANDRE

Je le crains.

ANÉMONE *tente de l'entraîner.*

Il faut aller avec eux. Notre place est en bas.

ALEXANDRE, *gentiment.*

Oui, mais on sera avec les autres en bas et on n'a pas tant d'occasions d'être seuls; on peut bien l'honorer d'ici la mémoire de papa...

Il l'a prise dans ses bras tendrement, souriant; elle soupire se laissant tout de même faire.

ANÉMONE

Riez. Riez. Mais quand on a aimé comme cela un être aussi exceptionnel, vous comprenez bien qu'après ce n'est jamais plus possible... C'est pour ça que tout l'argent qu'il m'a laissé je l'enverrai au docteur Schweitzer! C'est pour ça que je veux partir en Afrique soigner des lépreux — des lépreux *horribles* — toute ma vie!

ALEXANDRE, *doucement.*

Cela ne lui ferait aucun plaisir mon cœur, tel que je commence à le connaître. Il avait horreur des misérables... Il disait que c'était des créanciers abusifs.

ANÉMONE, *qui est dans ses bras, crie encore.*

C'est pour ça que je ne veux jamais plus

être dans les bras d'un jeune homme! C'est pour ça que je ne danse plus, que je ne sors plus, que je ne veux plus jamais que rien me fasse plaisir. C'est pour ça qu'il me tarde d'être vieille! *(Elle demande.)* Vous croyez que c'est long?

ALEXANDRE, *doucement, la tenant.*

Très long.

ANÉMONE *gémit soudain, touchante et cocasse.*

Ah, c'est fatigant d'être jeune!...

ALEXANDRE, *doucement, sans se moquer.*

C'est affreux, mon cœur. Et c'est affreux d'être mort. Ce sont deux choses différentes — mais auxquelles on ne peut rien.

ANÉMONE, *les yeux agrandis, gémit encore.*

Je ne veux jamais l'oublier! Jamais!

ALEXANDRE

Non, mon cœur.

Ils se regardent un instant, un peu angoissés tous les deux, puis, enfin, il l'embrasse. Les mains d'Anémone remontent doucement jusqu'aux mains d'Alexandre comme pour se dégager, puis, soudain, son geste s'arrête et elle murmure, attendrie et navrée à la fois :

ANÉMONE

Oh, vous avez tout à fait ses mains! C'est épouvantable...

Il l'embrasse encore et cette fois, les bras d'Anémone se croisent autour de sa nuque.

ALEXANDRE *se détache un peu et dit gentiment soudain.*

Pauvre papa! *(Il se secoue et s'écrie.)* On est des cochons! On l'abandonne. Venez voir ce qu'ils sont en train de lui faire. Qu'il ne soit pas tout seul à supporter ça. Il faut lui remonter le moral à cet homme!

Il l'entraîne vers la fenêtre. Dehors c'est le silence qui précède l'instant crucial de la cérémonie.

ALEXANDRE, *drôlement.*

Moment solennel. Le consul tire sa petite boîte de sa poche. Il s'éclaircit la voix. *(Il crie soudain dehors.)* Courage papa! On est là!

ANÉMONE, *le retirant en arrière, pouffant de rire.*

Vous êtes fou! Taisez-vous. Ils se sont retournés!

LA VOIX DU CONSUL, *ridicule, emphatique, s'élève dans le silence.*

« Au nom du Président de la République française et en vertu des pouvoirs qui me sont conférés, Antoine de Saint-Flour, je vous fais, à titre posthume, chevalier de la Légion d'honneur. »

ALEXANDRE, *drôlement.*

Ça y est! Ils l'ont eu! Cravatar est vert, il a seulement les palmes.

L'hymne allemand éclate soudain, insolite, à la fanfare.

ALEXANDRE *s'esclaffe.*

L'insulte finale! L'hymne de la petite amie! Garde-à-vous général du côté allemand. Les autres sont un peu gênés. « La Marseillaise », ils comprenaient... mais l'hymne allemand! Tête de Carlotta. Lui faire ça à elle après lui avoir pris l'Alsace et la Lorraine!

Ils commencent à rire comme des fous et à danser une sorte de menuet cocasse sur le rythme de l'hymne allemand.

ALEXANDRE, *retournant à la fenêtre.*

Attention! Suprême ruse teutonne! Le pasteur a tiré un papier de sa poche. Il va parler, lui aussi. Ils s'en sont aperçus. Il y a un vent de panique : ça doit être bientôt l'heure du train. Cravatar parle à l'oreille de Piedelièvre, qui parle à l'oreille de Marcellin, qui parle à l'oreille du notaire, qui parle à l'oreille du bourgmestre... On envoie une délégation... Ça y est. Ils ont découragé le pasteur qui replie son papier, l'air buté. Sauvés! On aura le train.

L'hymne allemand vient de finir, il y a un mouvement de foule en bas.

ALEXANDRE, *à la fenêtre, comme un speaker de radio.*

Non! Péripétie! Le maître d'école, un vieux Prussien à qui on ne la fait pas, a tout de même lancé sa chorale. Mouvement de reflux affolé dans les troupes françaises... Non! Non! On n'en peut plus! On n'en veut plus! Mais rien ne résiste aux grenadiers poméraniens! Ils foncent! Ils occupent le terrain! C'est la percée! La force prime le droit! C'est la débâcle! C'est Sedan!

La chorale éclate aigre sur un rythme allègre insolite.

ALEXANDRE *conclut drôlement.*

Ils l'auront bue jusqu'à la lie, la coupe. Étonnez-vous après si on refout le feu à l'Europe!

Toute cette scène a été ponctuée de fous rires inextinguibles d'Anémone et Alexandre, enlacés. Quand la chorale éclate, ils se mettent à danser en riant une sorte de polka bavaroise qui deviendra peu à peu un tendre enlacement. Frida et le petit valet entrent surchargés de valises, ils vont faire plusieurs voyages rapides sur le rythme très gai de la chorale. A la fin la scène sera encombrée des valises de tout le monde. Dès les dernières mesures tout le monde va d'ailleurs rentrer en trombe et toute la fin sera jouée sur un rythme endiablé. Tout le monde monte, descend, cherche ses valises. C'est un va-et-vient continuel.

CARLOTTA *entre la première sur sa canne, péniblement mais rapidement.*

Les cochons ! Trois quarts d'heure debout à écouter leurs chansonnettes ! Et maintenant il va falloir courir. Ah ! Quand ils commencent à faire de la musique, ceux-là... Si on n'avait pas été un peu fermes, ils enchaînaient sur « L'Or du Rhin » !

MARCELLIN

Vite ! Vite ! Décanillons. Ils sont capables de nous recoincer pour un vin d'honneur. Tout de même nous avons coupé au pasteur !

CARLOTTA

Un pasteur pour Antoine! Il aurait détesté ça!

MARCELLIN *demande.*

Il était catholique, n'est-ce pas?

CARLOTTA

Comme tout le monde, voyons! Pour les choses sans importance, Antoine choisissait toujours ce qu'il y avait de plus commode!

PIEDELIEVRE

Comment allons-nous nous arranger pour les voitures?

MARCELLIN

Le consul a une limousine géante où nous nous caserons au moins à cinq. Nous pourrons ne faire qu'un voyage.

CARLOTTA

Montons ensemble, mon bon. Vous me raconterez votre histoire de la petite fille qui avait avalé un savon. Il faut se secouer! J'ai horreur des enterrements — cela vous donne des idées noires... Il faut que nous fassions un voyage très gai. *(Ils sont sortis.)*

CRAVATAR, *qui s'est rapproché d'Estelle, prenant sa valise.*

Nous montons ensemble?

ESTELLE

Si vous voulez.

CRAVATAR

On pourra se revoir à Paris, Estelle? Nous sommes restés trop longtemps sans nous voir.

ESTELLE, *après une hésitation, avec un sourire.*

Si vous voulez.

CRAVATAR

Vous savez pour un critique célibataire comme c'est ennuyeux toutes ces générales... Vous m'accompagnerez au théâtre, quelquefois, votre temps de deuil passé?

ESTELLE *sourit encore.*

Nous verrons — un peu plus tard...

CRAVATAR

Je suis sûr que cela vous intéressera beaucoup, le nouveau théâtre. Il y a un mouvement extraordinaire qui se dessine! Un souffle irrésistible, on balaie toutes les vieilles lunes! *(Il est sorti affairé avec les valises parmi les autres qui se croisent et se dépêchent.)*

GABRIELLE, *qui est en face de Piedelièvre, émue.*

Voilà, Peau de lapin.

PIEDELIEVRE, *la larme à l'œil aussi.*

Voilà, Gabrielle. Qu'est-ce que vous allez faire en rentrant à Paris?

GABRIELLE

Mon ménage! Cinq jours de poussière...

PIEDELIEVRE

Vous m'inviterez à dîner quelquefois?

GABRIELLE

Si vous n'avez pas peur de mes cinq étages...

PIEDELIEVRE

Je retrouverai mes jambes de jeune homme! Et je vous apporterai un bouquet de fleurs comme autrefois...

GABRIELLE

Alors je vous ferai mon pied de veau! C'est mon triomphe. Et puis un bon petit gigot et pour finir ma bavaroise à la crème!

PIEDELIEVRE

Alors j'apporterai du champagne!

GABRIELLE, *gaiement.*

Nous nous en mettrons jusque-là! Mon mari le disait, quand on est vieux, il n'y a plus que le ventre...

PIEDELIEVRE, *gaiement aussi.*

Et puis, comme cela, nous aurons l'occasion de parler d'Antoine! Laissez. Je vais vous porter votre sac...

GABRIELLE, *sortant gaiement.*

Il fait un temps resplendissant! Je suis sûre que nous allons faire un voyage très agréable... *(Ils sont sortis.)*

VALÉRIE, *avant de sortir aussi.*

Dans quelle voiture montez-vous, Estelle? Si nous nous perdons en gare de Munich, faites-moi signe, dès votre arrivée. Nous pourrons nous donner rendez-vous chez Doucet. Je suis débordée! Avec cette nomination de mon mari à Washington, je ne quitte plus mon couturier!... Tu me suis, Anémone? *(Elle est sortie rapidement.)*

ALEXANDRE, *à Anémone.*

Vous suivez aussi la famille là-bas?

ANÉMONE

Non. Je finis mon année de cours à Paris. J'habiterai chez ma grand-tante. Elle est sourde comme un pot et à demi aveugle.

ALEXANDRE, *gaiement.*

C'est merveilleux! Je pourrai venir vous voir?

ANÉMONE

Tant que vous voudrez! Il suffira de rester immobile quand elle traversera le salon. Elle est incapable de distinguer un jeune homme d'une plante verte! *(Ils éclatent de rire tous les deux.)*

ALEXANDRE

Ah, que c'est amusant de vivre! Vous ne trouvez pas qu'on a trop de chance?

ANÉMONE, *sortant.*

Trop de chance pourquoi?

ALEXANDRE, *sortant, gentiment.*

D'être venus au même enterrement!

Il n'y a plus qu'Estelle immobile au milieu de la pièce et le notaire. Dehors on commence à fermer les volets, la scène s'achèvera dans la pénombre. Estelle demande.

ESTELLE

On ferme tout?

LE NOTAIRE

C'était le désir de Monsieur de Saint-Flour : après cette cérémonie — tout fermer. Laisser la poussière envahir tout — et toutes les herbes du jardin pousser. Frida part aussi avec nous. Elle va redescendre s'installer chez elle, au village.

La pièce est tout à fait sombre maintenant. On entend des coups sourds frappés dehors. Il explique à Estelle.

LE NOTAIRE

Il y a certains volets qui ne ferment pas très bien et qu'on doit consolider avec des planches...

Estelle est immobile, comme un peu envoûtée. Le notaire lui dit doucement, après avoir respecté un instant son silence.

LE NOTAIRE

Il va falloir que nous partions aussi ou on nous enfermerait...

Quelques coups encore plus lointains. Le notaire semble rêver un peu et dit soudain :

Il y a une très belle pièce de Tchekhov, que Monsieur de Saint-Flour admirait beaucoup — il me disait qu'elle le hantait depuis ses vingt ans — qui finit ainsi. On vend une vieille propriété de famille où on a été heureux et où personne ne reviendra plus jamais. On cloue les volets. Et on oublie à l'intérieur un très vieux domestique qui était l'âme de la maison et qui va sans doute mourir là. *(Il a un petit sourire triste.)* J'espère que nous, nous n'oublierons personne ici...

On entend encore quelques coups sur des volets, éloignés. Le notaire achève, souriant.

Monsieur de Saint-Flour admirait beaucoup cette fin, et il me disait cocassement : C'est trop bête! Dire que cet animal-là l'a trouvée avant moi! Je ne pourrais jamais la refaire : on s'en apercevrait... Ou alors, pour la resservir, il faudrait trouver un truc de théâtre...

ESTELLE *demande, distraite, en s'en allant.*

Et, qu'est-ce que c'était cette pièce?

LE NOTAIRE

La Cerisaie.

ESTELLE, *sortant.*

Je ne connais pas. Antoine ne m'en avait jamais parlé. Ou alors, j'ai dû oublier...

Ils sont sortis. La pièce est déserte et sombre.

Tout de suite une dernière lueur s'éteint. On a dû fermer le dernier volet. On entend les coups sur les volets plus lointains. Puis les voitures automobiles qu'on met en marche et qui s'ébranlent, puis c'est le silence. Tout à coup, venues d'un peu loin, enregistrées sur le même rythme allègre où elles ont été jouées, on entend les répliques de la scène précé-

dente, dites par des voix un peu fantomatiques.

LA VOIX DE MARCELLIN

Vite! Vite! Décanillons! Nous avons tout de même coupé au pasteur!

LA VOIX DE CARLOTTA

Un pasteur pour Antoine! Il aurait détesté ça!

LA VOIX DE MARCELLIN

Il était catholique, n'est-ce pas?

LA VOIX DE CARLOTTA

Comme tout le monde, voyons! Pour les choses sans importance Antoine choisissait toujours ce qu'il y avait de plus commode!

LA VOIX DE CRAVATAR

Je suis sûr que cela vous intéressera beaucoup, le nouveau théâtre. Il y a un mouvement extraordinaire qui se dessine. Un souffle irrésistible... On balaie toutes les vieilles lunes...

LA VOIX DE GABRIELLE

Je vous ferai mon pied de veau! C'est mon triomphe — et puis un bon petit gigot et pour finir ma bavaroise à la crème!...

LA VOIX DE PIEDELIEVRE

Alors j'apporterai du champagne! Et puis,

comme cela, nous aurons l'occasion de parler d'Antoine!

LA VOIX D'ALEXANDRE

Ah! que c'est amusant de vivre! Vous ne trouvez pas qu'on a de la chance?

LA VOIX D'ANÉMONE

De la chance, pourquoi?

LA VOIX D'ALEXANDRE

D'être venus au même enterrement...

LA VOIX D'ESTELLE

Et qu'est-ce que c'était cette pièce?

LA VOIX DU NOTAIRE

La Cerisaie...

LA VOIX D'ESTELLE

Je ne connais pas. Antoine ne m'en avait jamais parlé. Ou alors, j'ai dû oublier...

Il y a un moment de silence encore, aussi long que possible, sur la scène vide et puis le rideau tombe.

FIN DE
CHER ANTOINE

DU MÊME AUTEUR

Aux Éditions de la Table Ronde.

L'Alouette.
Antigone.
Ardèle ou la Marguerite.
Becket ou l'Honneur de Dieu.
Cécile ou l'École des pères.
La Foire d'empoigne.
La Grotte.
L'Hurluberlu ou le Réactionnaire amoureux.
L'Invitation au chateau.
Médée.
Ornifle ou le courant d'air.
Pauvre Bitos ou le Dîner de têtes.
Le Rendez-vous de Senlis.
La Valse des Toréadors.
Le Boulanger, la Boulangère et le Petit Mitron.

◈

Pièces brillantes.
Pièces costumées.
Pièces grinçantes.
Pièces noires.
Nouvelles Pièces noires.
Pièces roses.

CET OUVRAGE A ÉTÉ ACHEVÉ D'IMPRIMER LE 25 JUIN 1970 SUR LES PRESSES DE L'IMPRIMERIE FLOCH à MAYENNE.

IL A ÉTÉ TIRÉ DIX-SEPT EXEMPLAIRES SUR JAPON NUMÉROTÉS JAPON I A JAPON XIV ET JAPON H. C. I à JAPON H. C. III, SOIXANTE EXEMPLAIRES SUR HOLLANDE VAN GELDER NUMÉROTÉS HOLLANDE I à HOLLANDE L ET HOLLANDE H. C. I à HOLLANDE H. C. X.

LE TOUT CONSTITUANT L'ÉDITION ORIGINALE.

Dépôt légal : 3e trimestre 1970
Numéro d'édition : 1307
Numéro d'impression : 9682